풋굿

이규직 李揆稙(1936.5~2022.2)

저자 소개

호는 여천汝泉 혹은 난계蘭谿, 자는 경우慶佑.
경북 안동에서 태어남.
경상북도, 국세청 등에서 33년 간 공직생활을 했으며,
이후 경북 영주에서 세무회계사무소를 운영함.
난을 사랑하여 40여 년간 동양란을 가꾸며,
난 키우는 즐거움을 수필로 남김.
아란회我蘭會 회장, 한국문인협회 회원,
한국수필학회 회원, 현대수필문인회 이사,
경맥문인협회 고문 역임함.

수상 이력
2007년 현대수필 신인상 수상
2018년 제3회 경맥문학상 수상
2020년 제2회 백기만 문학상 수상

못굿

발행일·2023. 5. 18.

지은이 | 이규직
펴낸이 | 이형식
펴낸곳 | 도서출판 문학관
등록일자 | 1988. 1. 11
등록번호 | 제10-184호
주소 | 04089 서울시 마포구 독막로 28길 34
전화 | (02)718-6810, (02)717-0840
팩스 | (02)706-2225
E-mail | mhkbook@hanmail.net

copyright ⓒ 이규직 2023
copyright ⓒ munhakkwan. Inc, 2023 Printed in Korea

값·15,000원

ISBN 978-89-7077-651-4   03810

풋굿

여천 이규직 산문집

문학관books

『풋굿』간행에 부쳐

천붕天崩이라 했던가? 익히 아는 단어지만, 그 의미가 무엇인지는 감히 짐작조차 못하던 그 일이 벼락같이 찾아왔다. 2021년 7월 어느 무덥던 날, 산책 중 갑자기 쓰러져 병원에 이송되신 아버지가 일곱 달의 투병에도 끝내 병마를 떨쳐내지 못하고 이듬해 2월 우리 곁을 떠나가신 것이다.

황망함 속에 어찌 지냈는지도 모를 정도로 머릿속이 하얀 가운데 장례를 치렀고, 사십구재까지 마친 후에서야 비로소 아버지의 빈자리가 새삼 실감되며 그리움이 가슴에 사무치게 다가왔다. 돌아가신 아버지를 정해진 순서에 맞춰 장사지내는 상례喪禮 절차가 끝나고서야 비로소 아버지를 마음껏 그리워하는 추모追慕의 시간을 갖게 된 것이다.

부끄럽게도 나는 유명幽明을 달리하신 아버지의 삶에 대해 아는 것이 그리 많지 않다. 1936년 경북 안동의 종갓집 둘째 아들로 태어나신 아버지는, 그 시절 우리네 아버지들이 보통 그러하듯이, 과묵하고 엄한 아버지의 전형이셨다. 하지만 표현에 서투셨을 뿐 자식에 대한 자정慈情이 차고도 넘치는 그런 분이셨다.

아버지는 1961년 대구시에서 처음 공직에 발을 디딘 후 1993년 국세청 서기관으로 퇴직할 때까지 33년 동안 공직자로 봉직하셨다. 퇴직 후에는 2012년까지 20년 동안 고향 인근 영주시에서 세무회계사무소를 운영하셨다. 스스로에게는 엄격하고 바쁜 삶을 사셨지만 주변을 따뜻하게 살피는 인간미 넘치는 분이셨다. 공무원의 박봉으로 생활하기도 빠듯했을 텐데도 주변에는 오히려 인색하지 않은 넉넉한 마음 씀으로 기억되었으며, 유니세프UNICEF 등 도움이 필요한 곳에 적지 않은 금액을 오랫동안 정기적으로 후원하셨다. 난을 사랑하여 40년 넘게 난을 가꾸셨지만 스스로도 난향蘭香에 뒤지지 않는 인향人香 넘치는 삶을 사셨던 게 아닌가 한다.

아버지는 72세가 되던 2007년 「기와지붕의 민들레」로 『현대수필』 신인상을 받아 문단에 등단한 수필가로, 한국문인협회 회원, 한국수필학회 회원, 현대수필문인회 이사, 경맥문인협회

고문 등을 지내셨다. 학창시절 경제적 여건 탓에 포기했던 문학에 대한 꿈을 고희古稀도 훌쩍 넘긴 고령에 도전하여 마침내 등단을 이뤄내신 것이다. 남기신 수필 작품에 대한 호평도 이어져 2018년에 '져 주는 마음'으로 제3회 경맥문학상을 수상한 데 이어, 2020년에는 '팔량치를 넘어온 피난민들'로 제2회 백기만 문학상 수상자로 선정되기도 하였다. 나이 탓을 하며 새롭게 도전하기를 주저하는 이들에게 귀감이 되는 좋은 사례가 아닐 수 없다.

사십구재를 지낸 후 유품을 정리하는 과정에서 『풋굿』 간행의 토대가 된, 아버지가 남기신 여러 형태의 글들을 확인하였다. 원고지나 A4 용지에 연필이나 펜으로 작성한 육필 원고, 한글 워드로 입력하여 출력한 인쇄물, 글이 게재된 간행물의 지면을 뜯어낸 것 등이 서류철에 차곡차곡 모여 있었다. 자료가 정리된 형태나 기고했던 글들에 가해진 수정·가필 흔적으로 보아 책 출간을 염두에 두셨음이 분명하고, 실제로 원고를 일부 추가하여 책으로 엮으시겠다는 생각을 직접 말씀하시기도 했다. 아쉽게도 아버지 생전에 그 구상은 현실화될 수 없었고, 여의치 않은 건강 탓에 새 원고의 탈고도 기대에 못 미쳤다.

유고 출간을 논의하기 위해 삼 남매가 머리를 맞대었고, 수록 범위를 등단 수필가의 작품집이라는 면모를 해치지 않는 글에 한정하여 출간하기로 하였다. 이 때문에 많은 시간과 공을 들인 노작이더라도 배제된 글이 적지 않다. 아버지가 월간 『국세』 편집부의 의뢰로 자료를 뒤져 공부하며 공들여 연재했던 「동양란 길잡이」가 대표적이다. 정리 원칙이 마련되자, 원고를 입력하고 교정하는 이후 작업은 일사천리로 진행되었다. 아버지 글이 많이 실린 『현대수필』과 『청색시대』를 발행하는 도서출판 문학관에 출간을 맡기기로 했고, 환하게 웃고 계신 다소 오래된 사진을 프로필에 넣기로 하였다.

책 제목은 첫 번째 글 제목인 '풋굿'으로 정했는데, 수록된 글을 대표하는 작품이어서 따온 것이 아니다. 호미걸이를 뜻하는 안동 지역의 방언인 '풋굿'이 낯설지만 왠지 정겨운 어감을 지녔고, 독자의 눈길을 끄는 데도 도움이 될 것이라는 생각이 반영된 것이다. 하지만 보다 중요한 이유는 『현대수필』을 통해 등단한 작가인 아버지가 독자란 기고였지만 수필가로의 여정에 첫발을 내딛는 용기를 낸 작품이라는 점 때문이다. 지면을 얻기 위해 무수한 퇴고推敲를 거쳐 완성도를 높인 고단함이 느껴지는 데다 채택을 기대하며 아버지가 느끼셨을 두근거림과 설렘이 고스란히 배어있는 '풋굿'이야말로 산문집 제목으로 제격이라 생각한 것이다.

풋굿의 체제는 크게 3부로 구성되었다. 1부에는 수필로 분류할 수 있는 글 27편을 '붓 가는 대로 쓴 글'이라는 제목으로 묶어 Ⅰ, Ⅱ, Ⅲ 셋으로 나누어 실었다. 2부는 시와 시조 9편을 '운율 있는 글'이라는 제목으로 묶었다. 3부에는 아버지께서 난 동호회인 아란회我蘭會 회원 시절 회지 『아란』에 '여란잡기'라는 제하에 연재하셨던 짧은 글들을 '난과 함께 한 나날, 『여란잡기』'로 묶어 수록하였다. '여란잡기'는 연재분 전체를 수습하여 싣고자 했으나 아쉽게도 무위에 그쳐 그 일부만을 싣게 되었다.

간행 원고 정리가 어느 정도 되자, 문단에 속한 동료 문인의 축하 글과 서문이 필요하다는 데 생각이 미쳤다. 아버지께서 각각 이사직과 고문직을 맡으시면서 작품도 많이 기고하셨던 『현대수필』과 『경맥문학』이 떠올라 현대수필의 오차숙 발행인과 경맥문인협회 김성태 회장님께 유고집을 준비 중임을 알렸다. 두 분 모두 매우 좋은 생각이라며 간행 계획을 반기고 바쁘신 중에도 흔쾌히 축하 글을 보내주셨다. 책의 서문은 저명한 원로 아동문학가이자 아버지의 고향 친구시기도 한 김종상 선생님께 부탁드렸다. 황망한 가운데 부고를 전하는 것을 잊은 데 대해 사죄하고 유고집 간행 계획을 말씀드리니 어려운 여건에서도 너무나도 정겨운 서문을 보내주셨다. 이 글을 빌어 세

분께 깊은 감사를 드리는 바이다.

　나의 불민함 탓에 소상일小祥日에 맞추려던 당초의 간행 계획
이 어그러지고 말았지만, 이제 아버지의 유고집 『풋굿』 출간
을 눈앞에 두게 되었다. 힘들 거라는 예상과는 달리 『풋굿』 간
행을 준비하는 과정은 생각지 못한 기쁨의 연속이었다. 유고집
간행에 뜻을 모으고 추진하는 전 과정에 함께 한 두 동생(현
정, 현경)의 존재는 큰 힘과 위안이 되었다. e-mail 투고를 위
해 원고지에 적힌 아버지 글 일부를 대신 타이핑한 적은 있었
지만 전체를 온전히 살펴본 일은 없었기에 책 간행 작업은 아
버지를 보다 깊이 이해하는 기회가 되었다. 사람과 공동체에
대한 깊은 사랑과 관심, 생명이 깃든 것들에 대한 따뜻한 시선
이 짙게 밴 온기 가득한 글들…. 그래! 아버지는 바로 이런 분
이셨다. 글이 이끄는 대로 죽령 옛길을 따라 걷기도 하고, 부석
사 안양루를 찾아 기와지붕에서 애처롭게 떨었을 민들레를 떠
올리기도 하였다.

　『풋굿』의 상재上梓를 앞두고 걱정과 기대가 교차한다. 책 출
간 이후에는 수필가 이규직에 대한 세상의 평가는 오롯이 이
책에 의존할 것이기 때문이고, 우리가 최선의 선택을 하고자
했더라도 아버지가 의도하셨을 작품집에는 많이 못 미칠 것이
분명하기 때문이다. 모쪼록 독자 제위께서는 유고집이기에 부

족할 이 책의 빈 곳보다는 고희를 넘겨 등단한 수필가 이규직이 전하는 세상과 생명에 대한 따뜻한 시선에 주목해 주시기 바라마지 않는다.

『풋굿』은 아버지께서 나신 지 만 87주년 되는 날에 맞춰 간행하여 영전에 올리려고 한다. 책을 받아보신 아버지께서는 어떻게 반응하실까 몹시 궁금하다. 바라기로는 "삼 남매가 함께 책 만드느라 수고했다. 이만하면 되었다" 하시며 사진에서처럼 환하게 웃으신다면 더할 나위 없이 좋겠다. 이 글을 쓰고 있는 지금 이 순간, 이제는 뵐 수 없는 아버지가 너무나도 그립다.

2023년 3월 하순
불초 헌주가 삼가 씀

뭐가 그리 급해서
핸드폰 하나도 안 갖고 간 친구

김종상金鍾祥

내 친구 이규직李揆稙의 장남 전화를 받은 것은 2022년 11월 말경이었다. 귀가 어두워 잠시 더듬고 나서야 친구가 소천했다는 것을 알았다. "지난 2월 초에 세상을 떠났지만 경황이 없어 알리지 못해 죄송하다"며, 이제라도 알리고 아버지 일주기를 앞두고 유고문집遺稿文集을 계획하고 있는데 서문序文을 부탁드리고 싶다고 했다. 그 친구라면 서문이 문제인가 몰래 나를 떠난 괘씸죄를 추궁해야겠기에 아픈 마음을 누르며 승낙을 했다. 하지만 수화기를 놓고 나니 감당할 수 없는 만감이 격랑으로 몰아쳤다.

규직이는 풍산豊山 고향 친구로 1949년 7월 1일 풍산초등학교를 같이 졸업한 동기동창이다. 풍산이라는 배움의 터전에서 함께 태어난 교학의 형제다. 돌이켜보면 참 많은 추억이 있다. 나는 일제를 싫어하신 할아버지 엄명으로 학교는 물론, 마을마다 있는 야학夜學에도 못 다니고 있다가 아버지가 일본에서 귀국한 후 1947년 7월에 풍산초등학교에 입학했다. ㄱ, ㄴ, ㄷ은 물론, 1, 2, 3도 모르면서 나이에 맞춰 4학년 1반에 배정됐다. 거기에서 규직이를 만났다. 7월이 학년말이라 곧바로 5학년이 되었다. 아버지는 종이에 쓴 반절표反切表와 구구단九九段이란 것을 주며 암송케 했다. 국어와 수학 공부의 첫걸음이었다. 4학년은 111명이었는데, 나만 문맹이어서 담임이 애를 많이 쓴 것으로 기억된다. 그때 내 공부를 도와준 친구가 이규직李揆植과 권영식權寧植이었다. 규직이는 집이 학교 옆 동네인 상리였고 영식이는 학교 가까운 만운인데 나는 죽전이라는 두메에서 20리를 걸어서 학교를 다녔으니 그들의 도움은 더없이 큰 힘이 되었다. 그들은 가정환경도 좋았지만 외모도 복스럽고 공부도 잘 했다.

그 후 규직이는 국세청 공무원이 되었고 영식이는 청룡부대 지휘관이었으며, 나는 학교 선생이었는데, 팔순 고빗길을 넘으면서도 건강에 큰 문제가 없었다. 그랬는데 규직이가 갑자기 먼

저 간 것이다. 초등학교 때처럼 나중에 가는 나를 맞이해서 또 무엇을 도와주려는 것인가.

규직이는 40여 년간 난초를 길러왔다. 공직에서 물러난 뒤 소백산 아래 산수 좋은 영주로 가서 사업을 시작하여 한창 잘 나가고 있을 때로 기억된다. 서울에 올라온 김에 생각이 났다며 불쑥 찾아와 난초에 관한 수필을 게재한 책과 동양란 재배법을 연재하고 있는 잡지를 보여주었다. 짐작은 하고 있었지만 역시 그는 대단하다는 생각이 들었다. 난초에 대해 문외한門外漢인 나로서는 그가 발표한 난초 수필, 난초 재배 강좌와 난초 동호회에서의 활동을 보니 부러움을 넘어 경외감마저 들었다. 수필과 강좌 내용이 모두 훌륭했다.

안동安東은 선비의 고장임을 자랑하고 있다. 선비라면 학식과 인품을 고루 갖춘 사람을 통상적으로 일컫는 호칭인데 이 말은 글을 잘 쓰는 사람이란 조건을 암묵적으로 품고 있다. 안동은 선비의 고장이라고 하지만 다른 지역에 비해 글을 쓰는 문인의 수가 턱없이 적다. 옛날을 내세워서 말한다면 선현들에게 부끄러운 일이다. 현재가 중요하다. 구체적인 통계는 없지만 안동은 나를 중심으로 생각해봐도 초등학교 동기로서 글을 쓰는 친구는 규직이 한 사람뿐이고, 사범학교 동기를 봐도 다섯 손가락 안이다. 그런데 비슷한 조건의 다른 어느 지역은 그 고장 동창회를 보면 문학단체 총회를 방불케 한다는 우스개가 있을 정도이다. 문인이 적은 선비의 고장 안동에서 규직이는 난초를 기르고 글을 쓰니 선비로 추앙받아 마땅하다는 생각이다.

난초는 모양이 고아古雅하고 잎줄기가 청초하며 향기가 유원幽遠하므로 그 기품이 군자의 덕을 갖추고 있다 하여 주로 시인 묵객들이 애상愛賞해 오며 선비의 품격에 비유하고 있다. 그런 난초를 기르기에 반평생 가까이 정을 쏟아온 규직이는 난초처럼 맑았으며 나이가 들수록 외모도 준수했다. 그는 난계蘭谿라는 호를 하나 더 갖고 있다. 난계는 '난초를 품은 골짜기'란 뜻이다. 그 호처럼 난초를 기르고 난초에 관한 수필을 쓰면서 난초처럼 고고하고 청아하게 살아왔기에 선비의 고장을 자랑하는 우리 안동의 진정한 선비였다는 생각을 더하게 된다. 문학적 활동이나 난초를 사랑했던 삶이나 온화한 성품을 돌아보면 규직이는 내 고향 친구이기 전에 큰 자랑이고 존경의 대상이 아닐 수 없었다.

그런 규직이가 싸구려 핸드폰 하나도 챙기지 않고 내 곁을 떠났다. 모든 연락이 끊어졌다. 난향만리蘭香萬里라고 한다. 이 규직李揆稙이가 남긴 업적과 덕행은 유고遺稿와 더불어 난초의 향기처럼 영원할지니, 우리 모두가 산문집 『풋굿』을 읽고 그의 덕행을 오래도록 기리기를 소망하며 독필禿筆을 줄인다.

– 한국문협, 국제PEN, 한국현대시협 고문

故 이규직 선생님의 『풋굿』 발간을 축하하며

오차숙(계간 《현대수필》 발행인)

故 이규직 선생님은 문학을 통해 생生의 파노라마를 온화하면서도 처절하게 그려낸 분이다. 유고집 『풋굿』은 선생님이 걸어온 삶을 생생하게 족적으로 남기고 있어, 그 의미가 매우 크다. 춘란처럼 한 생을 살아오신 정신적 유산에 대해 생각해야 할 부분이 많다.

선생님은 고향인 안동에서 세무회계사무소를 운영하면서도, 선친이 일궈놓은 가풍을 소중하게 여기며 철학과 유연함의 문학성, 그리고 특유의 예술성으로 '진아眞我'를 찾아가기 위해 많은 노력을 하셨다. 그래서 유고집 『풋굿』은 귀한 보물로 자리매김되고 있다.

선생님은 삶의 과정에서 정도正道를 중히 여기며 인격적 품위까지 지니고 있어, 고서古書의 향기가 배어있는 분이다.

2007년에 계간 《현대수필》을 통해 문단에 등단한 뒤, 2022년 작고 직전까지 작가회 활동과 본 문예지 후원이사로 기여해 오셨다. 문예지 《현대수필》과 동인지 《청색시대》에도 좋은 작품들을 꾸준하게 발표해 오셨다. 문제는 인간의 생명이 새벽녘 이슬이라고 하지만, 작가회에서도 선생님이 그렇게 황망하게 떠날 줄은 예상하지 못하였다.

이제 고인이 된 선생님이지만, 자제 분들이 선친의 유품 원고를 정성껏 편집해서 길이 남을 단행본 발간을 준비하고 있다.

유고집 『풋굿』은 등단작 〈기와지붕의 민들레〉라는 수필을 비롯해 삶生이 응축된 수십 편의 수필과, 선생님의 평생 몸담아 온 〈아란회여 영원하라〉를 중심으로 한 시詩들, 난蘭과 함께 했던 삶을 그려낸 여란잡기與蘭雜記를 중심으로 그려지고 있다.

지인에게 선물 받은 한 점의 제주 한란漢蘭을 시작으로, 반생半生을 난 키우기에 몰입했던 선생님이라 그 인내력과 그 인품이 고전의 멋으로 승화되고 있다. 선생님의 향기 나는 영혼이 맑고 드높은 하늘에 둥둥 떠다니고 있다. 글마다 단아하면서도 귀한 품격을 지니고 계신 분이라, 난향과 같은 예술인으로 거듭나고 있다.

당나라 시인 두보는 인생칠십고래희人生七十古來稀라고 했지만,

선생님은 그 시기에도 생업에 종사하며 글을 썼으며, 난애인蘭愛人을 조성해 단체에서 난을 캐기 위해 산 속을 누비기도 한 것을 보면, 오직 정신세계를 갈고 닦으며 살았음을 느끼게 한다. 마음속에 응축된 감정을 수필과 시로 표현하고, 신의적인 삶과 배려가 있는 삶을 살아가며, 남과 다른 진면목을 보여주셨다.

누구든지 유한한 생을 살아가는 동안, 바람직한 발자국을 후손과 후학에게 남겨 준다는 것은 쉬운 일이 아니다. 장석주의 〈대추 한 알〉처럼, 인생 역정에서 피와 땀으로 범벅된 시간들이 있어야만 그나마 근처까지 접근할 수가 있다.

선생님은 누구보다 긍정적인 마인드를 지니고 있어, 포용하는 삶과 비우는 삶을 살아온 분이다.

무엇보다 일생을 갓과 함께 한문학에 심취해 책과 붓을 놓지 않았던 아버지 슬하에서 자라난 분이다. 부친만이 아니라 윗대 선친께서도 그런 삶을 살아오신 분이라, 선생님의 삶에 진한 향기가 피어나는 이유를 깨닫게 해주셨다.

문명으로 물든 이 시대에도, 선생님은 느림의 미학을 지향하기 위해 문학과 역사, 그리고 철학으로 조화를 이루며 종합예술을 중요시했음을 알게 하셨다. 성현들의 가르침 속에서 삶의 여유를 찾아내며, 인문정신의 투철함과 고결함을 보여준 선생님임을 깨닫게 한다.

그러나 선생님은 유교적인 사고와 예법 자체가 개화를 늦추어 세계적인 나락에 빠뜨렸다고 생각하기도 하며, 낡은 옛 법이 꼭 옳다고 만은 하지 않은 분이다.

인생은 유한한 존재라서 누구나 세상을 떠날 수밖에 없으나, 선생님이 일궈놓은 울림이 있는 글과 뚜벅뚜벅 걸어간 발자국, 무엇보다 후학들에게 전해주는 절제된 메시지와 삶의 방향은 오랫동안 값진 보물로 남으리라 생각된다. 공자의 중용인 과유불급의 중요성을 제시한 삶에 대한 철학은, 후세에 길이 남으리라 확신한다.

늘 고고한 난처럼 향기를 품은 채 살다 가신 선생님, 그분의 유고집, 『풋굿』 발간을 진심으로 축하한다.

자신에게 엄격하고 후배에게 다정하시던
이규직 선배님

김성태(경맥문인협회 회장)

2010년 3월 1일 대구 중앙통 모 식당에서 경북중고등학교 동문 문인들의 모임인 경맥문인협회가 창립되었고 저는 사무국장을 맡았습니다. 초대회장이던 경맥 41회 김원길 시인님께서 1년간 맡으신 뒤 44회 의학박사 이원락 수필가님께서 제2대 회장 겸 발행인이 되시어 2011년 4월 25일 《경맥문학》 창간호가 대구에서 발간되었습니다. 2010년 제가 경맥문인협회의 조직을 다져가고 창간호의 편집인까지 맡아서 동분서주하던 무렵, 경북 영주시에서 세무회계사무소를 운영하시며 글 잘 쓰시기로 소문난 36회 이규직 선배님을 찾아뵈었습니다. 당시 총동창회장님이시던 유종하 전 외무부 장관님을 비롯하여 36회에는 기라성 같은 분들이 많으셨는데, 그중에서도 이규직 선배님께서 발군이셨습니다. 영주에 거주하시는 44회 김범선 소설가 님과 함께 찾아뵈었는데, 선배님께서는 찾아온 두 후배를 다정 하게 맞아주셨고 맛있는 불고기 점심까지 사주셨습니다.

　그해 선배님께 경맥문인협회의 설립과 《경맥문학》 창간호 발 행에 대하여 설명해드리고 고문직을 맡아주실 것과 옥고를 부 탁드렸습니다. 선배님께서는 크게 기뻐하시고 격려하여 주셨음 은 물론 《경맥문학》 원고도 일찍 보내어주셨습니다. 〈마음을 비우라고 하지만〉이라는 수필이었지요. 적당한 길이의 이 수필 은 전후 문맥이 질서정연하고 토씨 하나 틀리지 않는 완벽한 작품이었습니다. 게다가 교훈이 되는 좋은 말씀이 가득하였습 니다. 친구를 사랑하는 마음, 모교를 사랑하는 마음 그리고 삶 을 겸허하게 보시는 마음이 절절히 나타나 있었습니다. 박학다 식하신 모습은 물론입니다. 이후 선배님께서는 경맥문인협회의 고문이 되시어 비록 몸은 영주와 서울에 계셨지만은 대구에 본부가 있는 경맥문인협회와 《경맥문학》을 항상 아끼고 보살 펴 주셨습니다. 그리고 2021년도 《경맥문학》 제11호에 게재된 〈애늙은이와 개구쟁이〉라는 원고에 이르기까지 한 해도 빠지 지 않고 문자 그대로의 좋은 글, 옥고를 보내어 주셨습니다. 가 족과 친구에 대한 사랑, 자연보호와 애국애족, 선하고 깊으신

인생관 등 언제나 교훈이 되는 말씀들이었습니다. 원고를 보내신 뒤에도 완벽한 작품이 되도록 몇 번이나 수정하기도 하셨고, 작성된 편집안은 교정을 철저히 보아주셨고, 간혹 편집상의 실수가 발견되어도 참고 이해해주셨습니다. 선배님은 한 마디로 자신에게는 철저히 엄격하고 후배에게는 한없이 다정한 분이셨습니다.

발전을 거듭하는 경맥문인협회는 2016년 〈경맥문학상〉을 제정하였는데, 다른 선배님들에 이어서 36회이신 이규직 선배님께서는 2018년 제3회 〈경맥문학상〉을 받으셨습니다. 후배들이 인정해 드린 동문 최고의 문학상을 받으시고 좋아하시던 모습이 눈에 선합니다. 경맥문인협회는 나아가서 2019년 한국문학의 초석을 다지신 대구고보 2회 백기만 선배님을 기리는 '백기만기념사업회'를 결성하여 〈백기만문학상〉도 제정, 시상하였는데 이규직 선배님께서는 2020년 제2회 〈백기만문학상〉을 수상하셨습니다. 이런 상이야 100개를 받으셔도 모자랄 빼어난 글, 완벽한 작품을 쓰신 분이시지만 더 기다리지 못하고 타계하시다니 너무도 안타깝고 믿어지지가 않습니다. 저는 2016년 경맥문인협회 제3대 회장이 되어 《경맥문학》 제6호부터 2022년 《경맥문학》 제12호에 이르기까지 지금은 이미 세계적인 문학단체가 된 경맥문인협회의 책임을 맡고 있습니다. 모두 이규직 선배님의 후광 덕분이라고 생각합니다. 앞으로도 선배님의 뜻을 잘 받들어서 좋은 문인회, 좋은 동인지를 잘 만들도록 하겠습니다. 이런 즈음에 유가족분들께서 중심이 되어 선배님의 유고집 『풋굿』을 출간하신다니 기쁘고 자랑스러운 마음 금할 길이 없습니다. 이제 선배님의 옥고들을 많은 분들께서 모아서 볼 수도 있겠군요. 수고에 감사드리옵고 정말 축하드립니다.

사랑하고 존경하는 이규직 선배님, 내내 평안하시옵소서.

| 차 례 |

붓 가는 대로 쓴 글

I

II

운율 있는 글

난과 함께 한 나날, 『여란잡기』

붓 가는 대로 쓴 글

I

신삼구 (愼桑龜)

이 규 직 36회

나에게 숙모님이 한 분 계셨다. 먼 듯
다섯을 필기로 작고하신 지 서른 해가
넘었다. 성품이 늘 안온하시어, 노년이
터신 뒤 까지도 매사에 신중하시고 말
늘이 적으셨다. 어른 뿐만 아니라 아이
에게도, 거칠거나 모진 말씀을 하지
…었다. 듣는 사람이 편안하도록, 차분
… 조용하게 덕담을 즐겨하시며, 평생

汝泉 李撰植 原稿用紙

풋굿

영주에서 내가 살던 아파트는, 시가지 동남쪽을 병풍처럼 감싸고 있는 산줄기가 끝난 데에 있다.

아파트를 출발하여 2킬로미터 됨직한 그 산줄기를 능선 따라 끝까지 산책하고 되돌아오면 한 시간 남짓 걸린다. 아침 등산을 즐기기엔 제격이다.

소나무와 잡목이 어우러진 숲 사이로 난 오솔길을 걷는 것이다. 나는 매일 아침 5시쯤이면 이 산에 오른다. 가을철의 이 시간이면 길이 겨우 보일 정도로 어스름이 걷히지 않는다. 등산길의 좌우 나무에 걸쳐 밤새 친 거미줄이 얼굴에 닿으면, 나보다 빨리 올라간 사람이 없는 것이 되어 한결 기분이 좋다.

여러 해를 두고 늘 다녔으나 이 등산로는 싫증이 나지 않는다. 바닥이 마사로 되어 있어 밟는 촉감이 좋고 숲이 우거져 삼림욕까지 겸할 수 있다. 또 오르막과 내리막이 급격하지 않고, 중간에 쉴 곳이 재미있게 놓여 있어, 가벼운 운동에는 더할 나위 없이 좋다. 수년 전 3월의 어느 날 아침 등산을 마치고 내려오는데, 등산로 끝난 곳의 한 골짜기에서 근처에 사는 사람들로 보이는 이들이 휴경지인 풀밭을 일구고 있었다. 오래 손질하지 않아, 못 쓰게 된 과목果木들이 썩은 채로 서 있음을 보아 묵은 과수원인 듯했다.

그 사람들의 말이 땅 주인이 이곳에 무슨 시설물을 세우려고 하는데, 아직 돈이 달려 못하고 있단다. 주인의 허락도 있었으니 누구든지 개간하여, 경작하는 것이 바람직하다는 것이었다.

그 말에 귀가 솔깃했다. 어차피 매일 하는 등산이며, 등산로가 끝난 데에 있으니, 산에서 내려와 내가 만든 밭에서 온갖 푸성귀를 가꿀 수 있는, 멋진 생활을 할 수 있다는 생각에서였다.

천 원을 주고 사서 근처 숲속에 감추어 놓고 쓰는, 호미 한자루를 유일한 농기구로 하여, 매일 등산을 마친 다음 그곳에 에멜무지로 개간을 시작했다. 풀을 뽑고 돌을 골라내고 땅을 고르는 일이었다. 하루에 두어 평 정도를 보름쯤 계속하니 꽤

넓은 밭이 되었다.

그곳에 상추, 열무, 배추, 고추 등 생각나는 대로 씨앗을 뿌리고, 모종을 사서 심었다. 하루도 거르는 일 없이 매일 아침 밭에 매달려 김을 매고 정성을 쏟았지만, 농사도 기술과 경험이 있어야 하는 것, 다른 사람들의 작황作況을 따라갈 수 없었다. 다만 등산을 끝내고 이 밭에 엎드려, 눈부시게 쏟아지는 아침 햇살을 받으며 땀 흘려 일하는 즐거움에 만족할 뿐이었다.

함께 농사를 짓는 사람들은 대부분 근처 서민촌의 촌로村老들이었다. 농사 한 철을 함께 하면서 두터운 정이 들었다. 나의 서투른 농사일을 가르쳐주고 작물을 가꾸는 방법에 대해 의견을 나누기도 하여 친숙한 사이로 변했다.

팔월 중순경의 어느 날 한 아주머니가 재미있는 제안을 했다. 이제 밭일도 한 고비 지났으니 스무 사람쯤 되는 경작자들이 조금씩 추렴을 하여 풋굿을 하자는 것이었다.

이젠 농촌에서 찾아볼 수 없어 옛 풍속이 되어 버린 풋굿 이야기를 정말 오랜만에 들었다. 그 멋진 제안에 반대하는 사람은 없었다. 모처럼 옛날로 돌아가 추억에 젖어 보자는 촌로들의 생각이었으리라. 제안자인 그 아주머니는 각자가 정성껏 비용을 내되, 나에게는 웃돈을 더 내라는 것이었다. 무엇하는 분인지는 모르지만 돈이 좀 있어 보인다는 것이 이유의 전부였다. 나는 순박한 제의를 흔쾌히 받아들였다. 여러 사람이 뜻을 모아 풋굿 날짜와 시간을 잡고, 장소는 그 골짜기에 있는 소나무 밭으로 정했다.

불과 사십여 년 정도를 거슬러 올라간 그리 오래잖은 이야기이다. 음력 칠월은 보리 양식은 이미 밑바닥을 드러내고, 논에서 익어가는 벼는 아직 풋바심도 어려운 한스런 달이었다. 산과 들은 싱그러움을 더하여 풍요로운 녹음으로 덮여있고, 과일들은 굵기를 더하여 가고 있지만 정작 먹을 것이 없었다. 이 어려운 때를 칠궁七窮이라 했다.

"칠월 손님은 범보다 무섭다"거나 "칠월 더부살이가 주인마누라 속곳 걱정한다"는 내려오는 말은 칠궁기의 어려움을 나타내는 토속담土俗談이다.

칠궁기는 농사일은 도리어 힘든 때이다. 논농사는 애벌김과 두벌김 그리고 세벌김을 마쳐야 손이 떨어지는데, 칠월은 바로 세벌김을 매야 하는 때이다.

세벌김을 마치면 일꾼들은 한시름을 놓는다. 가을걷이까지는 별 달리 큰 일 없이 지낼 수 있기 때문이다.

칠월 중순 백중百中을 전후하여 마을마다 날을 잡아서, 칠궁기에 제대로 먹지도 못하고 농사일에 고생한 일꾼들을 위로하는 잔치를 베풀었다. 이것을 나의 고향 안동지방에서는 풋굿[草宴]이라고 불렀다. 일부 지방에서는 호미걸이라고도 하는데 큰일이 끝났으니 호미를 씻어 걸어 둔다는 뜻에서 나온 말인 듯하지만, 낱말에 깃든 정감이 풋굿을 따르지 못한다고 생각된다.

풋굿 전날에는 일꾼들은 손을 모아 장마 동안에 파헤쳐진 마을 안팎 길을 손질하고, 우물을 깨끗이 치고 소제하는 것이 풍습으로 굳어 있었다.

풋굿날은 일꾼들뿐 아니라 온 마을 사람들이 한데 어울리는 큰 잔치가 벌어진다. 마을 공동으로 돼지와 개를 잡아 여러 집이 나누고, 온갖 안주를 마련하여 집집마다 빚은 막걸리를 일꾼들에게 대접할 준비를 한다.

일꾼들은 집집마다 돌아가며 풍물을 울리고 지신밟기를 한다. 악귀를 몰아내고 복을 빌어준다는 풍습인 것이다. 이 놀이 패거리를 맞는 집에서는 정성껏 마련한 음식과 술을 내어 놓는다. 이렇게 온 마을을 종일 돌고, 해거름이 되면 널찍한 정자나무 밑으로 자리를 옮겨 쾌지나칭칭이 판을 벌인다.

우리 고장에서는 "쾌지나칭칭이"를 "치야칭칭이"라고 했다. 치야칭칭이를 할 때에는 우리 마을에는 보배로운 존재인 선소

리꾼이 있었다. 백여 호가 넘는 집성촌에 외지에서 흘러 들어
와 살고 있는 사람이 바로 그였다. 농삿거리도 없는 그 부부는
남의 궂은일은 죄다 맡아 하고, 큰일 있는 집의 허드렛일을 기
꺼이 해 내지만, 어른들뿐 아니라 젊은이까지도 하대下待를 했
다. 그들은 그런 것을 개의치 않고 자기의 천직처럼 생각하고
알뜰히 살았다.

선소리꾼인 그가 "하늘에는 별도 많고"라고 선소리를 메기면
놀이꾼들은 "치야 칭칭 나네"로 뒷소리를 받으면서 춤을 춘다.
그 다음 "이 내 가슴엔 수심도 많다", "치야 칭칭 나네"로 이어
진다. 구성지고 카랑카랑한 그의 선소리는 몇 시간을 가도 밑
천이 질겨 그칠 줄 몰랐다. 풋굿이 있은 후 오래도록 치야 칭칭
이 소리는 귀 울림처럼 귓바퀴 안에서 사라지지 않았다.

약속한 풋굿날이 왔다. 시원하게 트인 소나무 밭에서 즐거운
잔치가 벌어졌다. 옛날에 마시던 막걸리 대신 맥주와 소주가 준
비되었고, 돼지 머리 삶은 것과 삼겹살, 파전 부치는 냄새가 구
미를 돋우었다. 술잔이 여러 차례 돌아 취기가 어느 정도에 이
르자 노래판이 벌어졌다. 낮 등산하던 낯선 사람들까지 하나
둘 모여들어 같이 마시며 즐겁게 놀았다.

풍물놀이와 지신밟기, 치야칭칭이도 없는 변질된 풋굿이었지

만, 세월의 변천을 탓할 수 없는 일. 예로부터 내려온 미풍양속이지만, 맥을 이어 나가기엔 너무나 변해버린 농촌이다. 산업 사회로 옮아가면서 대처로 떠나버린 젊은이, 노인들만 남아 있는 마을에서, 옛날의 풋굿은 민속사民俗史에만 남게 될 존재로 변해 버린 것이다.

비록 예전의 풋굿의 정취는 느낄 수 없었으나 모처럼 아무 매임 없이 어울린 촌로들과 지나간 옛날을 이야기하며 즐길 수 있었던 하루였다.

(현대수필 46, 2003 ; 경맥문학 7, 2017)

울타리와 사립문

    언제부터인지, 우리가 살고 있는 집에는 담이나 울타리를 치게 되었다. 담은 통행과 시야를 막아 나와 남을 갈라놓는 구실을 한다.

    삶의 모습을 남몰래 가리려는 것은, 체면과 염치를 무겁게 여기는 인간에게는 필요한 일이긴 하다. 하지만 그것이 지나치면 나와 남을 알뜰히 갈라서, 친근과 융화를 끊어놓는 결과를 가져오기 쉽다.

    서로 사이가 나빠져 틈새를 두고 지내는 것을 "담을 쌓고 산다"고 했다. 이것은 담의 이런 닫힌 속성에서 비롯된 말이다.

    우리나라의 담이나 울타리는 그런 부정적인 몫을 하는 것만은 아니었다. 지위의 높낮이와 살림의 터수에 따라, 그것이 갖는 뜻은 달랐다.

예로부터 권세를 누리는 이들이나, 생활이 넉넉한 집의 담장은 높이를 더하였다. 담벼락 사이에 행랑채를 짓고, 솟을대문을 달아 가세를 자랑하기도 했다. 행랑채에는 하인들이 살고 있어서 집 지키기에 빈틈을 두지 않았다.

이와는 달리 여염집은 흙담이나, 구구 각색의 돌을 쌓은 돌담, 아니면 울타리를 나지막하게 둘러쳐 놓은 것이 예사였다. 대문은 없거나 사립문을 달았다.

울타리와 사립문, 이것은 시골 마을의 으뜸가는 정경이었다. 나지막한 초가집을 빙 둘러싼 울타리, 그 울타리 한 곳을 터서 달아 놓은 사립문은, 우리 조상들이 일궈놓은 소박한 정서의 상징이었다. 가난 때문에 별 수 없이 이루어진 산물이라 낮춰 볼 수만은 없다.

울타리는 수수깡이나 잡동사니 나무들을 엮어서 세운 것이다. 집을 지키기 위해 만든 것이라 하기에는 너무나 허술하다. 그저 자기 집의 경계를 나타낸 것에 지나지 않는다. 그것은 맵시에 크게 매이지 않고, 그렇다고 투박하지도 않은, 수수한 모습을 하고 있어 더욱 마음을 끈다. 엉성하게 엮어서 나지막하게 쳐놓아 안에서 밖이 보이고 밖에서 안이 환히 들여다보인다. 바람도 자유로이 통하고 해와 달빛도 뚫고 지난다.

울타리 친 옛 경관景觀이 그리움으로 다가온다. 호박은 긴 넝쿨을 울타리 위에 올려놓고, 화려하진 않으나 뜸직한 꽃을 피워, 매충媒蟲을 불러들인다. 공중을 날던 고추잠자리가 잠깐 앉아 지친 나래를 쉬는 곳도 울타리이다. 울타리 그늘은 암탉이 병아리를 품고 솔개를 피해 숨는 곳이며, 더위를 쉽게 타는 개들이 몸뚱이를 식히는 곳이기도 했다.

우리 조상들은 이런 가운데서 살아가며 티 없는 심성을 일구었다. 나지막한 울타리를 사이에 두고 이웃 사이의 정담이 이뤄지고, 변변치 못하나마 별식이나 색다른 반찬들이 오지그릇에 담겨 오가고 했다. 이렇게 터놓고 지내는 이웃 사이에는, 숨길 것이 없고 즐거운 일이나 궂은일도 함께 한다.

사립문은 안팎에서 열 수 있고, 360도를 돌릴 수 있다. 빗장을 질러 출입을 막는 대문과는 사뭇 다르다.

비 오는데 들에 가랴 사립 닫고 소 먹여라
마이 매양이랴 장기 연장 다스려라
쉬다가 개는 날 보아 사래 긴 밭 갈리라

고산 윤선도의 '산중신곡'에 나오는 시조이다. 이 글에서 사립을 닫으란 것은, 사람이 들어오는 것을 막으란 것도, 밖으로 나가지 못하도록 얽매는 것도 아니다. 장마철이니 집안 일만 오로지 하라는 것을 암유暗喩하는 기법技法으로, "사립 닫고"라는 말을 쓴 것이라 생각된다.

우리의 사립문은 집안과 바깥의 내왕을 막기 위한 것이 아니라, 울타리 한 곳을 터서 출입구를 나타낸 것이라 보는 것이 옳다.

울타리에 낸 문은 사립문뿐이 아니었다. 개구쟁이들은 바깥을 나들기 위해, 그들만의 길을 만들었다. 사립문을 통해 오가기가 멋쩍고 재밌기가 없어 울타리에 구멍을 뚫었다. 그 구멍으로 이웃집을 오간다. 지름길이라기보다 어른들을 따돌리고 그들만의 자유통로를 갖는 것이다.

아동문학가 김종상이 문단에 오른 초기, 시골 초등학교에서 교편을 잡고 있을 때이다. 60년대 후반으로 기억되는 어느해, 서울신문사에서 그가 지도한 어린이들의 동시 시화전을 열었다. 두메마을, 흙냄새 나는 고사리 손들이 펼친, 동심의 세계를 보러 갔다. 그때 본 동시 한 편이 아직까지 잊혀지지 않는다. 이제는 중년을 넘은 여인이 되었겠지만, 어느 여자 어린이의 "울타리 구멍"이란 작품이다.

울타리 구멍 / 누가 반들 반들 / 길 만들었나 /
쪼르르 / 우리 아기들이 / 길 바빠서 그랬지

　울타리 구멍으로 조무래기가 몸을 구부려 빠져나오는 그림
을 곁들였다. 시골 정서가 뭉클하게 가슴에 와 닿는 작품이었
다.
　이제는 아련한 추억으로만 남을 뿐, 다시 찾아 볼 수 없는 정
경이 되어 버렸다. 지금의 산골 마을 어린이들은 이러한 동시
를 쓸 소재素材를 상상조차 못하게 되었다.

　옆도 보지 않고 달려온 근대화의 물결 속에, 더러 외면당하
고 소홀히 여겼던 구석들이 있을 수 있었을 것이다. 이제 고갯
마루에서 숨을 고르고, 뒤돌아보면 아쉬웠던 곳이 발견될 수
밖에 없다.
　새마을운동은 초가지붕을 슬레이트나 시멘트 기와로, 울타
리는 블록 담으로, 사립문은 철 구조물로 바꿔 놓았다. 깨끗하
고 위생적으로 변모했다고 할지 모를 일이나, 그 옛날의 질박
하고 낙낙하던 모습들은 사라져 버렸다.
　초가집의 역사는 정확한 기록은 없으나, 벼농사가 시작된 삼
한시대인 것으로 사학자는 보고 있다.

중국의 『구당서舊唐書』에 "고구려인은 이엉을 이어 살림집의 지붕을 만든다"고 기록되어 있음을 보아, 초가집은 순수한 우리의 것임이 틀림없다.

　흙벽을 두껍게 하여 집을 짓고 이엉을 엮어 덮은 초가집, 그 둘레에 돌담이나 울타리를 친 삶터는 우리 민족의 혼이 담긴 문화유산이다. 두꺼운 흙벽 때문에 요사이처럼 단열재를 쓰지 않아도, 겨울에는 따뜻하고 여름은 시원하며, 늘 흙냄새와 가까이 살도록 한 조상들의 지혜가 돋보인다.

　우리나라 대표적인 민속촌인 H마을은 내가 자라난 마을에서 10리 정도 밖에 되지 않는다. 그래서 나의 초등학교 때 단골 소풍 대상지였다. 옛날에는 울타리 친 집들이 많았다. 얼마 전 H마을을 찾은 나는 울타리 친 모습을 찾아 온 동네를 다 돌아보았다. 마을의 북쪽 가장자리의 한 집만이 울타리를 보존하고 있었다.

　마을마다 한두 채나마 초가집과 울타리를 되찾는 문화유산 복원운동을 펴는 것이 어떨까.

　근대화의 상징이었던 청계천 고가도로를 철거하고, 물고기가 떼 지어 노니는 청계천으로 되돌리는 대역사大役事가 이루어졌다.

우리 시골 마을에서도 울타리 친 초가집을 다시 볼 수 있다면 얼마나 좋을까.

(현대수필 48, 2003 ; 영주문학 32, 2008)

기와지붕의 민들레

몹쓸 사람을 두고 흔히 "잡초 같은 인간"이라 한다. 사람에게 도움이 안 되는 귀찮은 존재로 풀을 보는 데서 나온 말이다. 식용이나 약용 또는 관상용 풀을 빼고는, 모두 싸잡아 잡초라고 푸대접을 한다.

땅 속에 뿌리를 내리고 스스로 움직일 수 없어, 동물의 먹이 노릇을 하고 있다. 하지만 그들도 생명이 있어, 영양을 빨아들여 성장하고, 수동적이긴 하나 교배에 의해 씨를 퍼뜨린다. 온실 안의 음악이 원예작물의 성장과 결실을 부추겨 준다는 말이 있으니, 미개하나마 감성感性이 있는지도 모를 일이다.

보기에는 대수롭지 않은 풀 한 포기도, 생명의 존귀함은 다를 바 없다. 하나뿐인 목숨이기에 씨를 이어 나가려는 노력은,

인간에 진배없이 상상을 뛰어넘는다. 그것은 자각에 의한 것이기보다, 천부적이고 본능적인 것이라 생각된다.

늘그막에 시골에 우거寓居한 나를 보러 서울서 친구들이 찾아왔다. 그들을 이곳의 가장 큰 볼거리인 부석사浮石寺로 데려갔다.

이 절에는 우리나라의 목조건물 가운데 가장 오래 되었다는 무량수전無量壽殿이 있고, 그 앞에 안양루安養樓라는 누각이 자리 잡고 있다.

이들 불교 유적을 돌아보다가, 한 친구가 안양루 지붕 위에 꽃을 피우고 있는 민들레를 보고 탄성을 지른다.

땅 위에 있는 민들레의 풍성한 떨기와 달리, 누르무레한 작은 잎사귀와 패랭이꽃보다 좀스런 꽃잎이 애처로웠다.

어미 몸에서 떨어져 나온 갓털[冠毛]이, 바람을 타고 날다가 기름진 땅을 다 놓치고, 옛 기와지붕의 암키와에 내려앉았다, 메마르고 거름기 없는 이끼에 빌붙어 모진 목숨을 이어가고 있었다.

기와에 작열灼熱하는 한여름의 참기 힘든 열기와 영하 20도를 밑도는 높은 산속 추위를 용하게 견디어 냈다.

줄기 없이 뿌리에서 잎이 돋아 자라기 때문에 앉은뱅이라는 별명이 붙었다. 사람이나 짐승에게 짓밟혀도 죽지 않고 다시 자라기 때문에, 권력의 압제에도 굳건히 살아남는 백성에 비유해 민초民草라 하였다. 그렇게 명이 질긴 풀이기는 하지만, 그 놀라운 초능적인 생존력은 감탄할 일이다.

더욱 생사의 갈림목에서도 씨는 꼭 남겨야겠다는 간절한 일념으로, 쇠약한 몸에 버거운 꽃을 피워, 씨앗을 영글게 하려는 처절한 노력이, 측은한 정감을 불러 온다.

그 뒤 여남은 날이 지나, 다른 일로 혼자 부석사에 갔다. 그 민들레가 궁금하여 안양루 지붕을 살펴보는 순간 놀라운 일이 생겼음을 알았다. 그 사이에 낡은 기왓장들을 새것으로 갈아 이었다.

살아남겠다는 몸부림도, 씨를 남겨야겠다는 바람도 물거품으로 변한 것이다.

절을 둘러싼 산자락에는 초여름의 싱그러움이 넘치고 있다. 소나무와 잡목들과 이름 모를 풀들이 울창한 숲을 이루고 있다. 헤아릴 수 없는 많은 초목들이 기름진 땅에서 축복을 받아 자라고 있다. 그런 풍요의 뒷전에서 불운하게 태어나 삶을 잇지 못하고 사라져간 민들레였다.

기와를 얼마 동안만 늦게 갈았어도, 민들레는 갓털이나마 날려 보내고, 죽을 수 있었으리라.

그 갓털이 자기와는 달리 기름진 땅에 떨어져, 잘 자라 주는 것이 어미 민들레의 가장 큰 소망이었을 것이다.

한 떨기 풀의 죽음에 지나치게 연연하는 것이 아니다. 그것이 기구한 민들레의 이야기로 그치기엔 적잖은 여운을 남기기 때문이다.

난세亂世에는 조혼早婚을 시키고, 씨받이라는 윤리에 벗어나는 방법을 써가면서 대를 이으려 했던 인간들의 모습과 견주어 본다.

구차한 환경에서도 자기의 자손에게는 좀 나은 삶을 이끌어 주려고, 어떤 희생도 감내하는 고달픈 사람들의 이야기와 맥이 통한다.

내가 어릴 때 겪은 일로, 늘 뇌리에서 사라지지 않는 슬픈 기억이 있다. 내가 자라난 마을에 한 여인과 어린 외아들이 살고 있었다. 이백 집이 넘는 이씨 집성촌에 언제인지 타성인 그들이 끼어들어, 산 밑에 토담집을 짓고, 농토도 없이 가난하게 살고 있었다.

그 여인은 남의 농사일을 돕기도 하고, 바느질 품을 팔거나, 큰일이 있는 집의 허드렛일을 도운 삯으로 외아들을 정성껏 길렀다.

그 아들이 자라서 초등학교에 입학을 했는데, 나와 같은 학급에 배치되었다. 그는 외모도 준수하고 성적도 뛰어나 학급에서 수석을 차지했다.

그 여인은 오직 유일한 희망인 그 자랑스러운 아들을 위해 모든 것을 바치며 살아가고 있었다.

그러다 어느 날, 그에게 청천벽력과도 같은 불행이 찾아왔다.

아들이 삼 학년이 되었을 때 알 수 없는 병에 걸려 시름시름 앓다가 세상을 떠나고 말았다. 가난에 찌든 환경 때문에, 외지의 큰 병원에서 치료 한 번 받아보지 못한 채, 피눈물을 흘려야 했다.

그 여인은 식음을 전폐하고 두문불출했다. 이웃집에서 챙겨주는 끼니도 마다한 채 여러 날을 지내다가 어디론지 종적을 감추었다.

집안에는 보리쌀 몇 됫박과 옷가지와 살림살이를 그냥 둔 채, 입던 옷차림으로 떠나버린 것이다.

지금 같으면 가출신고라도 하겠지만, 그때는 그것으로 그만이었다. 머리를 깎고 절로 들어갔다는 뜬소문만 나돌았을 뿐이었다.

이젠 예순 해가 흘렀으니 그 여인은 어느 곳에서 잃어버린 아들을 가슴 속에 묻고, 한 많은 삶을 살다가 저 세상으로 떠났을 것이다.

씨를 남기고, 그 씨를 위하여 모든 것을 바치고 죽어 가는 것은, 동식물이 똑같이 겪는 생애이다.

움직일 수 없는 식물은 죽어서 후손에게 거름이 되어 주고, 동물은 살아가는 방법과 지혜를 남기고 가는 것이 아닐까.

살아 있는 생명이 불운하게 죽어간 것이 수를 헤아릴 수 없고, 씨를 잇지 못한 것이 한량없을 것이다.

하지만 그 민들레는 갈아 이을 날을 받아 둔 기와지붕 위에서, 극한의 처지에 온몸으로 버티다가, 끝내 뜻을 접고 한을 남긴 채 사라져 갔다.

한 포기의 풀이지만 마음 한 구석에 걸려 쉽게 스러지지 않는다.

(현대수필 63, 2007)

죽령 옛길

옛길을 따라 죽령竹嶺을 오른다.

풍기 수철마을에서 시작하여, 해발 689m의 죽령재에 이르는, 2km 남짓한 오솔길이다.

죽령은 경상북도 영주와 충청북도 단양의 경계에 있다. 소백산 줄기의 연화봉과 도솔봉 사이에 낙타 잔등이처럼 잘록하게 들어간 곳을 넘는 재이다.

신라 8대 아달라 이사금 5년(서기 158년)에 이 재에 길을 열었다는 기록이 있으니, 이천 년 가까운 나이 먹은 길이다.

그동안 이 옛길이 숲에 묻혀 대부분이 사라졌고, 곳곳에 흔적만 남은 것을, 영주시에서 노인들의 도움과, 여러 갈래의 고증을 거쳐, 옛 모습으로 되돌려 놓았다. 옛것에 얼마나 가까이다가갔는지는 모를 일이나, 역사적 유적을 애써 복원한 그 뜻에는 큰 찬사를 보낸다.

일제가 죽령을 넘는 국도 5호선을 만들었고, 1941년에는 죽령 밑으로 터널을 뚫어 중앙선(그때는 京慶線)을 개통시켰으니, 옛길은 절로 쓸모없는 존재가 되었다. 사람이 다니지 않는 길이니 세월이 지나면서, 그 형체를 찾기 힘들게 되었다.

길은 계곡을 따라 나있고, 잡목들이 우거져 하늘을 가린다. 골짜기 따라 흘러내리는 맑은 물은 굽이마다 물보라를 일으키고, 곳곳의 작은 낭떠러지에서는 폭포가 되어 보는 이의 가슴을 시원하게 식혀 준다. 숲속에 숨어 모습은 볼 수 없는 산새들, 조잘대는 소리 너무나 정겹다.

오솔길 곳곳에 옛날 객점客店과 마방馬房이 있던 곳과 역사적 사연이 남아 있는 곳에 안내판을 세워 놓아 옛 상념想念에 잠시 젖어들게 한다.

숲길을 따라 오르면서 이곳에 얽힌 옛일을 생각해 본다.*

---

* 이하 옛일과 관련된 두 단락은 현대수필 64호에 수록된 원래 글과 다른 내용으로 대체하였다. 원래 글에는 임진왜란 당시 조령鳥嶺을 지키다 물러나 탄금대 전투에서 순절한 삼도순변사三道巡邊使 신립申砬의 이야기가 착오로 혼입混入되었다. 잡지가 출간된 후 오류를 발견하신 선친께서는 잘못된 부분에 표시를 하여 후일의 수정을 기약하셨기에, 원고를 정리하면서 그대로 둘 수 없어 원래 글의 취지에 어긋나지 않는 범위 내에서 가필하였음을 밝혀둔다.

삼국시대에 죽령은 남한강 일대의 주도권을 둘러싸고 고구려와 신라가 대치하며 불꽃 튀는 격전을 펼쳤던 곳이기도 했다. 죽령 일대는 고구려 장수왕이 평양 천도 이후 남진 정책을 펴면서 고구려의 영역에 속하였으나, 진흥왕 12년(551년)에 백제와 동맹을 맺고 공격해온 신라에 한강 상류지역 10개 군이 점령되면서 신라의 영역에 편입되었다. 이후 고구려 영양왕 1년(590년) 온달溫達 장군이 "계립현鷄立峴과 죽령竹嶺의 서쪽 지역을 되찾지 못한다면 돌아오지 않겠다" 등의 삼국사기의 기록과 함께, 소백산 북쪽 단양 지역에 온달이 쌓았다고 전하는 온달산성이 전해지고 있다.

근대에 이르러서 죽령은 조령과 함께 충북과 경북지역에서 일어난 한말 의병들이 고개를 넘나들며 일제 침략세력에 맞서 연합작전을 펼친 무대이기도 했다. 1895년 10월 명성황후明成皇后가 시해되는 을미사변乙未事變이 터지고, 12월에 단발령斷髮令이 강행되자 경기, 충청 지역에서 일어난 의병들이 죽령을 넘어 안동지역에서 일어난 의병들과 세를 규합하여 왜적과 맞서 싸웠다. 이후 1907년 7월 일제에 의해 고종이 강제 퇴위되고 대한제국 군대가 해산되자 정미의병丁未義兵이라 불리는 의병이 각지에서 일어나 일본군에 맞서 싸웠다. 민긍호閔肯鎬가 이끄는 200여 명의 의병이 죽령의 수비대를 공격하여 3일 동안 접전을 벌였으며, 이후 재차 이강년李康年의 의병부대와 연합한 500여 명의 의병이 일본 수비대와 5일 동안 치열한 전투를 벌였던 의병들의 활동 거점이었으니 조상들의 충정과 한이 맺힌 곳이다.

아울러 이 길은 영남과 호서, 기호지방을 잇는 중요한 통로였다. 등짐장수들이 지게와 마소 바리로 오가며 교역을 하던 통상로의 구실을 했고, 영남의 선비들이 청운의 꿈을 안고, 영달을 찾아 서울을 오르내리던 길이기도 했다.

또 소백산 자락에 터를 잡고 살던 수많은 화전민들에겐 너무나 긴요한 생명선이었다. 그들이 생산하고 채취한 농산물과 임산물 따위를 대처로 내어, 소금과 무명 같은 필요한 물건과 바꾸어 가던 고달픈 삶의 길이었다.

화전민들은 평지에서는 찌든 가난 때문에 어쩔 수 없이 살던 곳을 떠나 산속으로 들어간, 굶주린 백성들이다. 지주의 횡포

와 벅찬 소작료를 치르고 주리는 것보다, 산속에 들어가 불을 놓아 일군 화전을 제 것으로 갖는 길을 택한 것이다.

오늘의 후손들이 죽령 옛길을 걸으며 선조들의 숨결에 귀 기울이고, 쓰라린 역사의 교훈과 어려웠던 조상들의 삶을 되새겨보는 겨를을 얻게 된다면, 옛길을 닦은 일이 큰 값어치로 남을 것이다.

길은 인류의 가장 오래된 문화유산이다. 조상이 물려주어 후손들이 계속 이용하는, 선조의 족적이 배어있고, 얼이 서려 있는 값진 대물림 재산이다.

인간은 날개가 없으므로 두 발로 걸어야 하고, 지혜를 가진 동물이니 다른 곳을 오가며 새로운 것을 보고 듣고 배우려 한다. 그래서 필연적으로 생겨난 것이 길이다.

인구가 늘어나고 문명이 발달하면서 길은 여러 형태로 모습이 바뀐다. 폭을 넓히고 포장을 하여 차들이 빨리 달릴 수 있게 한 국도와 고속도로가 그것이다.

길은 좀 더 자연스런 통행로를 연상하게 되는 데 비해, 도로는 인공으로 규격화한 것을 떠올리게 한다. 이런 도로와 우리 조상들의 애환이 배어 있는 옛길과는 가슴에 와 닿는 정감이 같을 수 없다.

농촌 인구가 줄어들면서 작은 길들이 차츰 없어지고 있다.

사람들이 다니지 않아 절로 풀밭으로 변해버린 곳이 생겨난다. 산속에 나 있던 길도 거의 없어졌다. 나무꾼들이 다니던 초로樵路는 이제 옛말이 되었고, 조상 산소로 나 있는 성묫길도 숲이 차서, 묘를 잃는 사람이 늘어나고 있다.

길은 예로부터 생멸生滅을 거듭하였고, 천재지변이나 생활 방식의 변천에 따라 그 양태가 바뀌어 왔다. 산업화로 인해 농촌 환경이 달라져 생긴 일이니 어쩔 수 없는 자연스런 현상이다.

하지만 준령峻嶺을 넘어 국토를 큰 손금처럼 이어주던 중요한 옛길이 사라지는 것을 그냥 두고 볼 수 없다. 꼭 되찾아 복원하고 문화재로 지정하여 보존함이 옳은 일이 아닐까.

소백산맥만을 두고 봐도 재를 넘어 영남과 호서를 연결하던 죽령竹嶺, 조령鳥嶺, 추풍령秋風嶺이 있고, 호남과 이어지던 육십령六十嶺, 지경령地境嶺, 팔량치八良峙와 같은 중요 통행로가 있었다. 이들 길은 국토의 큰 핏줄이 되어, 우리 역사의 흐름과 함께한 소중한 유적이다.

이 옛길은 거의가 새로 생겨난 큰 길에 밀려 자취를 찾기 어렵게 됐다. 옛 전설과 일화들이 모롱이마다 서려 있고, 우리 민족사의 크고 작은 사실史實들이 이루어진 현장이다. 이를 다시 찾아 옛 모습으로 되돌려 놓는 것은 우리 후손들이 해야 할 몫이다.

나라에서 사적지로 지정하여 보살피고 있는 것을 보면 성곽, 산성, 왕릉, 고분군, 서원 따위이다.

어찌 역사적인 옛길이 이들에 비하여 낮게 평가될 수 있을까를 깊이 생각해 볼 일이다.

(현대수필 64, 2007)

신상구

　나에게는 숙모님이 한 분 계셨다. 여든 다섯을 일기로 작고하신 지 서른 해가 넘었다. 성품이 늘 안온安穩하시어 노년이 되신 뒤까지도 매사에 신중하시고 말씀이 적으셨다. 어른뿐만 아니라 아이들에게도 거칠거나 모진 말씀을 하지 않으셨다. 듣는 사람이 편안하도록 차분하고 조용하게 덕담을 즐겨하시며, 평생을 새색시처럼 사시다가 가셨다. 이러한 숙모님은 절로 모든 이의 존경을 받았다.

　이와는 달리 우리 마을에는 입이 가볍기로 이름난 한 아주머니가 있었다. 그는 남의 이야기를 듣고는 참지 못하여 이리저리 옮기는 말전주꾼이었다. 사람들 사이에 이간질을 일삼아 싸움을 붙였고, 때로는 무릎맞춤을 벌려 이웃을 시끄럽게 하였다.

아낙네들은 여럿이 모여 이야기를 나누다가 그가 나타나면 입을 다물어 따돌리게 되었다. 이 두 사람의 모습은 서로 대조가 되어 여러 사람들의 입에 오르내리곤 했다.

말하는 본새는, 그 사람이 지닌 식견이나 인품을 알기에 앞서, 인간 됨됨이를 가늠하는 첫 번째 잣대가 된다. 심성이 곱더라도 말 씀씀이가 헤프고 거칠면, 세상살이에서 사람들과 쉽게 어울리지 못하고 외톨이가 될 수밖에 없다.

인간이 마음에 품은 감정을 표현하는 방법 가운데, 가장 널리 쓰이는 것이 말과 글이다. 글은 말을 저장하여 오래 보존하는 것이므로 절로 신중하게 되고, 쓰고 난 뒤 다시 살펴 고쳐 쓸 겨를도 있어 실수를 줄인다. 말은 한 번 하면 도로 거둬들일 수 없으므로 깊은 생각이 앞서야 한다. 말은 조물주가 인간에게 내려준 편리한 의사 전달의 수단이지만, 그로 인하여 화근이 이만저만이 아님을 늘 보고 있다.

신상구愼桑龜라는 옛날부터 내려오는 말이 있다. 말을 잘못하면 스스로 화를 당하고 남에게도 해를 끼치므로 조심하라는 경구警句로 쓰여 왔다.

옛날 어느 효자가 몸져누운 아버지의 병에 좋다는, 천년 묵은 거북 한 마리를 구하여 돌아오는 길에 뽕나무 그늘에서 잠시 쉬게 되었다.

그때 거북이 "솥에 넣어 백 년을 고아본들 내가 죽나, 헛수고 하고 있네"라고 말했다. 이 말을 엿들은 뽕나무가 "나를 땔감으로 써서 고면, 별수 없을 텐데 큰소리치는군" 하고 자랑삼아 지껄였다.

그 소리를 들은 효자는 그 자리에서 뽕나무를 베어 집으로 가져가서 거북을 고았다는 이야기이다.

조심성 없이 지나친 허풍을 떠벌린 거북과, 남의 이야기에 괜스레 끼어들어 변을 당한 뽕나무의 자발없는 혀 놀림을 탓한 우화寓話이다. 비록 꾸며낸 이야기이지만, 허튼 말 한 마디가 목숨까지도 앗아갈 수 있다는 뜻을 담고 있어 "혀 아래 도끼 들었다"는 격언을 떠올리게 하고 있다.

석가모니는 중생들에게 열 가지 악업惡業을 범하지 말도록 일깨웠다. 그 열 가지 중에는 말로 인한 것이 네 가지나 들어 있으니, 인간이 말로 짓는 구업口業이 얼마나 중한가를 알 수 있다.

그것은 거짓말妄語, 꾸며내는 말綺語, 이간질하는 말兩說, 험한 말惡口이다. 쉽게 할 수 있는 것이 말이고 보니, 말로 인한 업을 흔히 쌓을 수 있다고 생각된다.

세상살이가 복잡하여지고 있어, 설화舌禍가 끊일 날이 없다. 정치하는 사람들이 패를 갈라 기묘한 화술로 알맹이 없는 설전을 벌인다. 또 그 말싸움 중에 나온 말 꼬리가 동티가 되어 다른 싸움의 빌미를 주어 나라 안을 아수라장阿修羅場으로 만들고 있다.

말처럼 쉬운 것이 없는 듯하지만, 그것처럼 어려운 것도 드물다. 이치에 맞지 않고 경우에 닿지 아니한 것은 말이 아닌 잡소리에 가깝다.

자기 집단의 이로움을 위하여 뻔히 잘못인 줄 알면서 속내와 달리, 불합리不合理를 합리合理로 꾸며내고, 부당不當을 합당合當으로 이끌어낸다. 이런 화술이 세상을 혼돈의 늪으로 빠져들게 하고 있다.

어제 했던 말과 오늘 하는 말이 달라질 수 있는 것은, 진실됨이 없이 그때의 형편에 따르는 보호색의 말에 익숙해 있기 때문이다. 한 번 한 말은 끝내 책임질 줄 알아야 한다. 자기 떼전을 위하기에 앞서 모두를 위하는 일이 무엇인가를 생각하는 것이 바람직하다.

어디를 가도 말마디나 한다는 사람이 있다. 타고난 입심으로 여러 사람을 사로잡는 재주를 가진 사람이 있다. 이들을 두고 흔히 똑똑한 사람이라고 한다. 깊은 소양을 갖고 있으나 좀처럼 내색을 하지 않는 과묵한 사람에게는 똑똑하다는 표현을 하지 않는다.

'똑똑하다'의 말뜻을 '사리에 밝고 분명하며 정확하다'라고 국어사전에서 풀이하고 있다. 말을 잘 하면서 똑똑하지 못한 무리를 경계해야 한다. 이들이 똑똑한 너울을 쓰고 대중의 지지를 얻어 지도자의 자리에 오를 때 어지러운 세태는 바로잡기 어렵다.

"말 다 하고 죽은 귀신 없다"는 우리 속담이 있다. 누구나 하고 싶은 말을 다 하고 죽은 사람이 없으니 말을 자제하고 아끼라는 뜻으로 보인다.

말을 많이 하게 되면 허물을 짓기 쉽고, 그 허물은 남에게 폐를 끼치고 자신에게도 돌이킬 수 없는 흠집으로 남는다.

또 말은 의사 전달을 위한 마음의 표현일 뿐이다. 애써 유식한 말을 하기 위해 필요 이상의 치장을 하여 미화하는 것은 진실한 뜻을 전하는 데 걸림돌이 될 뿐이다. 그저 하고자 하는 뜻이 바르게 담기면 족하다.

절제되고 품위 있는 말 속에는 말하는 이의 인격이 깃들어 있고, 여과되지 않은 분별없는 말은 듣는 이에게 혐오감을 준다.

입은 작고 귀가 큰 사람들이 모여 사는 사회, 곱고 훈훈한 정이 담긴 말이 오가는 사회, 참되고 똑똑한 말이 제자리를 찾는 날이 오기를 바라는 마음 간절하다.

(영주문학 31, 2007 ; 청색시대 16, 2010 ; 경맥문학 6, 2016)

난이 일깨워 주는 것

동양란을 가꾸고 있는 추전秋田 김화수金禾洙 화백이 새해 인사로 난화蘭畵 한 폭을 보냈다.

뜻밖의 귀한 선물이, 늘 따뜻한 그의 정의를 다시 한 번 느끼게 한다. 그의 난화는 섬세하지 않고, 조금 투박하게 처리한 듯 하면서도 난의 자태를 생동감 있게 표현하고 있다. 난 그림도 난을 잘 아는 사람이 그려야 산 그림이 될 수 있다는 것을 보여준다.

우리나라 문인화文人畵는 매란국죽梅蘭菊竹의 이른바 사군자四君子를 소재로 한 것이 많다. 그 중에서도 바위너설에 붙어 자라는 난을 그린 묵란화墨蘭畵를 흔하게 볼 수 있다. 사대부들이 학문의 겨를을 타서, 난을 치고 난도蘭道에 심취하여, 손수 난을 기르기도 했을 것이다.

춘란春蘭은 유현幽玄한 산골짜기, 소나무 밑 반그늘에 뿌리를 내리고, 잔잔한 바람을 즐기며 아침 이슬이나 가는 빗물을 받아먹고 자란다. 인적이 드물어 보는 이 없어도 흐트러지지 않는 단아한 자세이다. 벌 나비도 찾기 힘들 두메 외진 곳에 취록색翠綠色의 꽃을 피워 고고한 기품을 홀로 풍기고 섰다. 엄동설한에도 눈에 묻혀 이듬해 봄이 올 때까지 푸르름을 간직한 채 인고의 나날을 견딘다. 선인들은 그런 품성을 기리어 사군자의 하나로 꼽은 것이리라.

오래 전 선배 한 분의 영향으로 난을 알게 되었다. 아주 귀한 것이니 잘 기르라면서 제주한란 한 분을 선물로 주었다. 재배법을 소상하게 일러주었고, 나는 행여 잊을까 일일이 받아 적었다.

이렇게 시작한 것이 세월이 흐르면서 분盆 수가 늘어나, 이젠 그것에 파묻혀 사는 몰골로 변해 버렸다.

좁은 화분에 심은 난을 집안에서 기른다는 것은, 여간 어려운 일이 아니다. 자생지의 환경을 생각하여 그와 비슷하게 온도와 습도를 맞추어 주고, 통풍을 조절하며, 차광망을 설치하여 일조日照를 알맞게 차단한다. 아무리 정성을 쏟은들, 어찌 인간의 힘으로 천연환경을 흉내 낼 수 있을까.

산 속에 잘 살고 있는 것을 캐어다가 좁은 용기에 심어 기른다는 것은, 비록 난을 사랑한다 해도, 하나의 생명체를 혹사하는 것이고, 자연의 순리에 반하는 것이란 생각이 들었다.

하지만 사람들은 오랜 옛날부터 이런 일을 해왔다. 집안의 서재나 거실에 난초 한두 분이 있어야 선비의 분수에 맞는다고 여긴 것일까.

조선 말 민영익閔泳翊이 남긴 묵란도*는 노지露地에 풍성하게

---

* 묵란도의 제목은 '원향畹香'이다. '갑진甲辰 시월十月 원정園丁 사의寫意'라고 되어 있어 민영익이 45세 때인 1904년 10월에 그린 작품임을 알 수 있다. 여백에는 포화蒲華가 지은 화제시가 연한 묵으로 적혀 있는데, 포화는 청나라 말기 상해화단上海畫壇을 대표하는 인물이었다. 시의

자라는 춘란을 그리고, 한쪽에다 분에 심은 난을 그려 놓았다. 그림의 여백에는 화제시畵題詩가 있다.

비 지나간 후 난 떨기 생기로 가득차고
다가오는 향기 흥취를 이기지 못 하네
곧 바로 큰 화분에 옮겨 심으니
봄바람이 넉넉한 뜻을 알려주고 있네.

그의 시에 나타난 것처럼 자연 속의 난을 화분에 옮겨 기르는 것을 예사롭게 생각하고 있다.

지금 애란인들이 아껴 기르고 있는 모든 동양란의 명품들도 언제인가 산에서 캐어온 것이다. 중국 춘란의 명품 송매宋梅를 보기로 들면, 2백여 년 전 청나라의 송금선이란 사람이 산에서

저자를 민영익으로 이해한 작은 오해가 있지만 글의 논지를 훼손할 정도는 아니고, 시의 번역도 한시의 뜻을 대체로 살리고 있어 그대로 인용하였다. 시의 원문을 소개하면 아래와 같다.

우과총란만지생雨過叢蘭滿地生 / 습래향초불승정拾來香草不勝情 / 편위이식장분앙便爲移植將盆盎 / 만열춘풍득의행漫說春風得意行
계동季冬 삭일朔日 포화蒲華 제제題

채취한 것이다. 이제 그것이 동양 각국에 널리 퍼져 애란인들 거의가 즐겨 기르고 있으니 오히려 그의 공을 높이 사야할 일이다.

산속에서 큰 떨기로 자라는 것은 도리어 번식이 더디다. 인간의 손에 채취되어 가꾸어지면서 촉수가 늘어나면, 분주分株되어 다른 사람에게 나누어 주다 보니, 훨씬 빨리 퍼진 것이다.

그래서 억지라 여길지 모르지만, 늘 자연 섭리를 거역한 자책감으로 나를 괴롭혀온 자괴심自愧心을 버려도 될 것이라 자위해 본다.

가까운 지인들 가운데 더러 "무엇이 좋아서 그렇게 난에 빠져들고 있느냐"고 묻는 이가 있다. 그럴 때는 딱히 잘라 이렇다 할 대답을 찾기 어려움을 느끼곤 했다. 그러고 보니 그저 난이 좋아 난을 가꾸어 왔을 뿐, 무엇에 매료되었는지도 모르고, 오랜 세월을 난과 더불어 보낸 것 같다.

그러나 난을 가꾸다 보면 그것이 일깨워 주는 삶의 슬기가 한두 가지가 아님을 느낀다.

난을 기르는 데는 서둘러서는 절대로 안 된다. 오뉴월 경에 꽃눈이 생겨, 늦은 여름에 꽃대가 분토盆土 위로 내밀고, 가을과 겨울을 지나, 이듬해 이삼월에 꽃을 피우기까지 여남은 달을 조용히 지켜보며, 기다리는 인내가 필요한 때문이다.

그래도 지루함을 누르고 하루하루를 살피며 기다리는 애란인들의 보람은, 향기를 터뜨리는 개화의 벅찬 환희를 맞는 것이다. 그래서 끈질기게 기다리고, 참는 마음을 익히고 배울 수 있다.

또 난을 기르는 데는 논어論語에서 말하는 과유불급過猶不及의 중용中庸 정신이 바탕을 이룬다고 생각된다.

중국 명나라의 단계자簞溪子가 난 가꾸기에 대한 지침으로 난이십이익蘭易十二翼이란 열두 가지를 들었다. 그 열두 가지를 보면 하나같이 "지나친 것은 미치지 못함과 같다"는 과유불급의 중용 정신을 말하고 있다.

그 중 몇 가지를 옮겨 보면 "햇볕을 좋아하나 직사광선은 피해야 한다", "젖은 것을 좋아하나 너무 습한 것은 안 된다", "거름을 좋아하나 진한 것은 안 된다"는 것과 같은 난 기르는 요령을 들고 있다. 이 난이십이익은 오늘날까지도 난을 가꾸는 데 귀중한 길잡이가 되고 있다.

그러고 보면 난을 가꾸는 데는 "인내 속의 대망待望", "과유불급의 중용 정신"이 근본을 이룬다고 하겠다.

반생을 난과 함께 살고, 정성을 쏟았지만 나의 조급한 성격은 조금도 고쳐질 기미가 없다. 난실蘭室을 자생지의 환경처럼 만들 수 없는 것 같이, 인간의 품성도 후천적으로 고쳐가는 것은 한계가 있는 것이라 여겨지니, 그저 안타까울 뿐이다.

(현대수필 66, 2008 ; 경맥문학 7, 2017)

제비가 떠난다

복잡한 여름 휴가철을 피하여, 지난 8월 말의 어느 주말, 휴식을 위해 울진蔚珍의 백암 온천장에 있는 한 콘도미니엄을 찾았다. 우리 내외가 유숙할 방은 백암산의 수려한 모습이 한눈에 들어오는 육층에 있었다.

백암산을 뒤덮은 싱그러운 숲이 뿜어내는, 맑은 공기를 쐬기 위해 발코니 쪽 창문을 활짝 열었다. 발코니 바닥에는 생각지 않은 새의 분비물이 쌓여 있었다. 오랫동안 치우지 않고 그대로 둔 것 같았다. 천장을 쳐다보니 제비가 둥지를 틀어 놓았다. 그것은 그들의 배설물이었다.

바깥을 내다보니 스무 마리도 넘을 제비가 백암산 기슭을 날고 있었다. 그 가운데 두 마리가 우리 발코니 가까이를 낮게 날면서 둥지에 접근하려다가 날아가곤 했다. 둥지 속에는 새끼 제비 몇 마리가 노란 부리를 벌리고, 어미 제비가 물고 올 먹이를 기다리고 있었다.

새로이 방에 들어온 낯선 우리를 경계하는 것 같았다. 거실로 들어와 자리를 비켜주자, 곧 둥지로 날아들어 물고 온 먹이를 새끼들의 입에 넣어 준다. 두어 차례 먹이를 날라다가 먹인 뒤부터는, 우리가 발코니로 나가 있어도 안심하고 둥지에 날아오곤 한다.

방 안팎을 깨끗이 청소하면서 제비의 배설물만은 그냥 둔 것이 누구의 생각인지는 모르나 참으로 숨은 뜻이 깊다고 여겨진다.

만약 그것을 말끔히 치워버렸다면 지난날 시골집 처마에 둥지를 튼 제비가 툇마루나 봉당封堂에 분별없이 쏟아 놓던 하얀 제비 똥에 대한 추억이 이렇게 절절이 살아날 수 있었을까.

초등학교에 다니는 손자에게 제비를 본 적이 있느냐고 물었다. 그림책에서는 보았으나 실물을 본 적이 없다고 한다. 그러고 보니 나도 제비를 본 지가 참 오래된 것 같다. 요사이는 시골에서도 제비를 쉽게 볼 수 없기 때문이다.

파리, 벌과 거미 따위의 곤충을 주식으로 하는 제비가, 농약의 남용으로 이들 먹이가 줄어들고, 환경이 오염되자 우리나라를 외면한 것이리라. 그래도 이곳 백암산 일대에는 아직 제비가 많으니, 빼어난 청정지역이 틀림없는 것 같다.

제비의 둥지는 알을 낳고 새끼를 까서 기르기 위한 산실產室 이다. 새끼가 어느 정도 자라서 날개에 힘이 붙으면 둥지를 떠난다.

모든 동물은 새끼를 낳아 품고 기르는 보금자리를 가장 은밀하고 안전한 곳에 만든다.

그런데 제비는 겁도 없이 인가의 처마 밑을 택하여 둥지를 틀고 있다. 또 공중을 날며 먹이를 사냥하다가 지치면, 인가 근처의 나뭇가지나 빨랫줄에 앉아 쉰다.

수양버들 가지가지 늘어진 아래
길게 늘인 줄 위에 나란히 앉아
이 집 저 집 담 너머로 기웃거리며
의좋은 제비 남매 지껄입니다.

윤석중이 글을 쓰고, 윤극영이 곡을 붙인 동요 '제비 남매' 의 일부이다. 이 동요에서도 제비는 인간을 믿고 가까이 하는 친숙한 새임을 노래하고 있다.

사람들도 역시 제비를 귀히 여겼다. 처마 끝에 둥지를 틀고

집안에 배설물을 마구 떨어뜨려도 싫다하지 않았다. 지난날 '제비 새끼를 만지면 옴이 옮는다'고, 어른들이 말하던 기억이 난다. 이것은 아이들이 행여나 제비집을 건드릴까 걱정되어 지어낸 말일 것이다. 제비가 날아들어 둥지를 틀면, 좋은 일이 있을 길조吉兆로 생각했고, 흥부전에서처럼 보은報恩의 새로 여겼다.

그러한 제비들이 우리를 떠난다는 것은 대를 이어 같이 살던 가까운 이웃이 고향에서 살 수 없어 멀리 가버리는 것처럼 참으로 슬픈 일이다.

몇 백 년 아니 몇 천 년을 우리나라를 찾아왔는지 모르는 귀한 손님이 발을 끊고 다른 곳으로 가버리는 일이 벌어지고 있는 것이다. 그들을 우리들 가까이 불러들이는 것은 환경을 정화하는 일뿐이다. 야생조류들은 그들이 서식棲息할 적지適地를 찾는 데 민감한 초능력을 가지고 있다고 한다.

이곳 울진 백암산 일대에 아직도 제비들이 떼를 지어 살고 있음이 그를 말해주는 것이리라.

콘도미니엄의 퇴실退室 수속을 밟으면서 직원에게 나의 생각을 말했다. 제비 둥지가 있는 방은 어린이를 동반한 사람에게 주어, 제비를 모르고 자라는 새싹들에게 좀처럼 보기 드문 체험을 갖도록 하는 것이 좋겠다고 했다. 하지만 웬 늙은이의 푸

넘이냐는 듯 아무 반응이 없어 참 아쉬웠다.

우리의 주위에서 사라져가는 것은 제비뿐이 아니다. 시골의 여름밤을 환상적으로 만들던 반딧불이도 거의 없어졌다. 늦은 여름 시골마을 공중을 발갛게 덮다시피 하던 고추잠자리도 크게 줄어들었다.

우리나라에서 대표적인 두메 고을인 영양英陽에서 반딧불이 축제가 열렸다. 어린이들에게 여름밤 개똥벌레의 형광무螢光舞를 보여주기 위한 것으로, 많은 어린이와 어른들이 모여들었다. 일석이조一石二鳥를 노린 기지에 찬 행사를 기획한 것이다.

영양군은 환경보호에 애써서, 다른 고장에서는 찾기 힘든 반딧불이가 아직도 많이 서식하는 청정구역이란 이미지를 심어, 자기 고장의 친환경 농산물을 알리려는 뜻이 밑바탕에 깔린 것이리라.

환경을 보존하고 정화하는 일은, 막대한 예산이 따르는 국가적인 사업에만 기댈 것이 아니다. 각 고장마다 주민들이 주체가 되어 작은 것에서부터 시작하는 노력이 있어야 할 것이다.

마을 앞을 흐르는 개천을 청결히 하고, 농약 사용을 줄이고 농사와 생활 폐기물을 아무 데나 버리지 않는 것과 같은, 작은 노력이 곳곳에서 모아질 때, 우리의 고장은 한결 깨끗해질 것이다. 그리하여 사라져가는 동식물이 되돌아와서 생태계가 옛날처럼 복원될 것이다.

　제비가 공중을 멋지게 날고, 고추잠자리 떼가 마을을 덮고, 밤이면 반딧불이가 불꼬리를 달고 날아다니는 경관을 다시 볼 수 있다면 참 좋겠다.

(현대수필 69, 2009 ; 경맥문학 4, 2014)

갓과 나의 아버지

제정 러시아의 기자 중 제일 먼저 우리나라에 온 곤자로프는, 아직 개방되지 않았던 은둔隱遁의 나라를 소개하는 장문의 르포를 자기 나라 신문에 연재했다.

그는 우리의 갓에 대하여 별난 관심을 나타냈다. "비바람과 추위를 막지 못하는 것을 왜 쓰는지 모르겠다"고 했다.

우리나라 사대부士大夫들은 밥은 굶을지라도 의관衣冠은 정제整齊해야 했다. 바깥을 나설 때는, 늘 갓을 쓰고 두루마기를 입어야 했다. 상투를 드러낸 맨머리로 출입하는 것은, 해괴한 일로 여겼다. 1895년 단발령斷髮令 이후 중절모자가 보급되었으나, 벙거지라 하여 천시했다. 수백 년을 고집스럽게 지켜온 두루마기와 갓의 문화를 그들이 어찌 알 수 있었으랴.

상투를 틀었으므로 늘 통풍을 시켜 주는 것이 위생상 좋았을 것이니, 말총을 짜서 만든 갓보다 더 나은 것이 있을 수 없다. 비를 막을 수 없다고 했으나, 한지에 들기름을 먹여 만든, 피라미드 모양의 갈모[笠帽]라는 덧모자가 있었다. 비 올 때, 갓 위에 씌워 비를 막고, 갠 날은 접어서 부채로 쓰는, 기발한 존재를 몰랐던 것이다. 또 바람과 추위를 막기 위해 휘항揮項이라고 하는 목덜미와 뺨까지 감쌀 수 있는 방한모를 쓰고, 위에 갓을 올려놓는, 우리 조상들의 지혜를 알지 못했음이 분명하다.

나의 아버지는 스무 살에 면사무소 서기가 되셨다. 1897년생이신 아버지는, 면제面制가 1917년에 시행되었으니, 새로운 직제에 따라 직원을 채용할 때 면서기가 되신 것으로 짐작된다. 완고하신 할아버지의 허락을 어렵사리 받아내어, 단발령에도 따르지 않고 소중히 간직하신, 상투를 자르시고 출근을 하셨다. 그러나 복장은 한결같이 두루마기에 갓을 쓴 모습이었다고 한다.

그러던 어느 날 큰 일이 생기고 말았다. 관내에 출장을 가시면서 거추장스런 갓은 사무실에 두시고, 중절모자로 바꿔 쓰신 것이 탈이 난 것이다. 출장길에서 공교로이 할아버지와 마주치게 되었고, 진노하신 할아버지에게 집으로 끌려가시어 꾸지람을 들으셨다. 석고대죄席藁待罪하며 용서를 청했으나, 할아버지의 심화心火는 쉽게 가라앉지 않으셨다 한다.

아버지는 일생 동안 출입을 하실 때는 두루마기와 갓으로 의관을 갖추셨다. 집에서도 탕건宕巾만 쓰고 계시다가 손님이 오시면 의관 차림을 한 후에 맞으셨다.

내가 1957년 6월 군에 입대하여 논산훈련소에서 훈련을 받고 있을 때였다.

훈련을 절반 정도 마친, 7월 하순경의 어느 일요일이었다. 일요일은 훈련병에 대한 면회가 있는 날인데, 아버지께서 면회를 오셨다.

그때 아버지의 옷차림이 너무나 파격적이었다. 두루마기도 없이 동저고리 바람에 파나마 모자를 쓰셨다. 그때까지 그런 모습의 아버지를 뵌 적이 없었기 때문에 크게 놀랐다.

아버지는 나를 끌어안고 서럽게 우셨다. 민망스런 울음에 당황하지 않을 수 없었다. 나중에 안 일이지만, 면회 오신 이틀 전날이 아버지의 회갑날이었다. 회갑 잔치를 마친 다음날 나를 면회 가겠다고 집을 나서셨다고 한다.

그때 아버지가 흘리신 눈물의 뜻을, 그맘때 아버지의 연세를 훨씬 넘긴, 이제야 겨우 알듯하니 몽매했던 지난날이 한스럽기만 하다.

　어머니를 여의시고 혼자 맞는 회갑연이 얼마나 가슴 아프셨을까. 마흔두 살에 낳으신 만득자인 나를 무척이나 애지중지하시다가, 내가 철도 들기 전에 돌아가신 어머니셨다. 그 어머니에 대한 절절하신 그리움이 회갑 잔치가 끝나기 바쁘게, 나를 면회하는 길로 이끌었을 것이다.

　어머니가 쉰여덟 살에 돌아가신 때, 아버지는 세 살 아래인 쉰다섯이셨다. 그러나 속현續絃을 하시지 않으셨다.

　후처를 맞이하면 나중에 자식들에게 짐을 남기신다면서, 주위의 권유를 물리치시고, 여든한 살까지 쓸쓸히 노년을 보내셨으니, 애써 계모를 모시지 못했던 큰 불효를 저지른 자식들이 어떻게 속죄될 수 있을까. 서러움이 벅차오른다.

　큰아이가 공군 학사장교로 입대하여 지방에 있는 공군 비행단에서 훈련을 받고 있을 때, 우리 내외가 면회를 갔다.

　면회장에 도착하니, 논산훈련소의 그때 정황이 떠올랐다. 넘치는 자정과 설움을 못 이기시어 오열하시던, 작고하신 아버지가 회상되어 목이 메어왔다.

나는 아들의 손을 잡고 엉겁결에 울음을 터뜨렸다. 너무나 슬피 우는 나를 따라, 아내와 아들도 덩달아 눈물을 흘려 울음판이 되었다. 다른 면회인들이 이상한 눈길로 바라보고 있었다.

내가 이 글을 쓰기 전까지는, 엉뚱했던 그때 내 눈물의 까닭을 아무도 몰랐을 것이다.

아버지는 일생을 한문학에 심취하시어 책과 붓을 놓지 않으신 선비셨다.

봉제사접빈객奉祭祀接賓客을 일상의 큰 덕목으로 삼으셨으며, 범사凡事를 유가儒家의 법도를 벗어나지 않으려 노력하셨다.

도산서원陶山書院을 비롯한 여러 서원의 원장院長을 두루 거치시면서 유풍진작儒風振作을 위하여 애쓰셨다.

글을 쓰실 때 초고草稿를 언제나 잡지나 허름한 폐지에 난초亂草를 하시어, 다른 사람들이 잘 알아보지 못하게 하시었다. 그것마저도 보관하지 않으시고 많은 양을 버리시었다.

증조부님과 조부님의 유고들도 문집을 내지 못하고 있는데, 당신의 글까지 남기시어, 자식들이 문집을 상재上梓하는 경제적 부담을 저어하신 것이다.

아버지가 중년이실 때까지는 문집을 목판본木版本으로 발간해야 했으므로, 오랜 시일과 많은 돈이 들어가, 엔간한 살림살이는 바닥나 버리기 일쑤였기 때문이다.

 아버지가 작고하신 후에 나의 형님은 한학에 박통하신 삼종숙주三從叔主와 남아있는 난초亂草를 해독하시는 데 큰 고생을 하시어, 아버지의 아호雅號를 따서, 연정유고硏庭遺稿라는 문집을 펴냈다.
 또한 아버지의 숙원이셨으나 엄두를 낼 수 없었던 증조부님의 하정문집荷汀文集과 조부님의 연당문집硏堂文集마저 발간했다.
 세월이 바뀌어 영인본으로 책을 낼 수 있게 되어, 아버지의 염려는 기우杞憂로 그치고 만 것이다.

 갓과 평생을 쓰셔서 우묵하게 닳은 벼루와, 늘 옆에 두시어 아버지의 체취가 배인, 국학진흥원國學振興院 수장고收藏庫에 보관 기탁한 고서적들과, 문집에 담긴 글들이 아버지가 남기신 유품 가운데 가장 소중한 것들이다.

(청색시대 15, 2009 ; 경맥문학 8, 2018)

별을 잊은 사람들

백로白露가 지나고 나니, 유난히 기승떨던 더위도 한풀 꺾인 듯하다. 하지만 아직 한낮에는, 늦더위가 숙지지 않고 있다.

시원한 바람결이 그리워, 늦은 밤 아파트 뒤꼍 어린이 놀이터로 나갔다. 저녁나절 어린이뿐 아니라, 어른들까지 나와 왁자하던 곳이, 쥐 죽은 듯 조용하다. 나무로 된 긴 의자에 앉아 본다. 밤의 고요와 살갗을 스치는 미풍이 더없이 좋다. 벌써 가을이라 높아진 하늘은 맑디맑고, 별들이 보석을 뿌려 놓은 듯 총총히 박혀 있다.

이곳 영주의 별은 여느 곳보다 또랑또랑하고 빛이 곱다. 태백과 소백산맥이 갈라진 곳에 자리한 고장이니, 청정한 공기 덕분이 아닌가 여겨진다.

쉰 사람이 넘게 참석한 어느 모임에서 있었던 일이다. 사회자가 느닷없이 나에게 자기소개를 하란다. 미리 일러주지 않은 갑작스런 일이라, 말주변 없는 나로서는 적이 당황할 수밖에 없었다.

그래서 시골로 낙향한 지금의 생활을 소개하면서, 이런 말을 했다.

"오랜 서울 생활을 접고, 이곳에 내려와 살게 되면서, 가장 마음에 드는 것은 오랫동안 보지 못하던 밤하늘의 별들을 실컷 볼 수 있게 된 것입니다. 그동안 동굴에 갇혀 지낸 것은 아니지만, 도시 하늘에서 별다운 별을 볼 수 없었기 때문입니다"

이 말이 떨어지자 예상치 못한 큰 박수가 터져 나왔다. 여러 사람들의 잠재의식 속에 몰래 공유해 오던 느낌을 자극해 놓은 듯했다. 참석자 거개가 도시 생활로 젊음을 보내고, 늘그막에 귀향한 노년층이었기 때문이리라.

내륙 산간지방에서 태어난 나는 스무 살이 훨씬 넘도록 바다를 보지 못하고 자랐다. 서울에서 대학을 다닐 때 인천을 가게 되었고, 그곳에서 난생처음 바다를 볼 수 있었다. 산과 들과 하늘만을 보고 자라났으니 그럴 도리 밖에 없는 노릇이었다.

어릴 적 여름밤에는 쏟아지는 별빛에 파묻혀 살았다. 마당에

멍석을 펴고 눕거나, 마을 앞을 흐르는 냇물에서 멱을 감고, 모래톱에 또래들과 드러누워 별을 바라보며 더위를 식혔다.

밤하늘을 꽉 메운 수많은 별들을 보고 있으면, 신비롭고 황홀함에 취해 넋을 잃게 만들었다. 이따금 이어지는 별똥별의 곡예는 요즘 아이들이 불꽃놀이를 즐기는 것보다 더한 감흥을 안겨 주었다.

남북으로 길게 펼쳐놓은 흰 구름 모양의 별무리 은하수는, 조물주도 심혈을 쏟았을 빼어난 예술품이다. 그 아름다운 회백색의 성운星雲을 강물에 비유하여, 은하수銀河水란 고운 이름을 붙여 놓은, 우리 조상의 절묘한 표현이 돋보인다.

동서를 가릴 것 없이 수많은 문인들이 은하수를 제재題材로 한 작품을 남겼고, 온갖 설화說話들이 만들어졌다. 그 가운데 우리 민족의 견우와 직녀의 아리따운 사랑의 이야기를 따를 것이 없을 듯하다.

한 해 동안 애타게 그리다가, 단 한 번 칠석날밤에 만날 수 없는 비련의 운명을 타고 났다. 그 기다리던 만남도 그들 앞에 은하 푸른 물이 막고 있어, 건널 수 없는 눈물겨운 처지이다. 그것을 안 지상의 까막까치들이 하늘로 올라가 그들의 몸으로 다리를 놓아 준다는 아름다운 줄거리이다. 이 이야기는 우리들 가슴 속에 너무나 결 고운 정취를 심어주었다.

이 설화는 중국에서 흘러들었다는 말이 있으나, 우리나라에 이미 고구려 광개토왕 19년에 축조되었다는, 평양 부근 덕흥리 고분 벽화에 이 견우와 직녀가 나타나 있다.

그것이 설령 어느 나라에 뿌리를 두고 있다 하더라도, 모든 민담民譚은 민간을 통해 구전되면서, 그 민족의 취향과 습속, 토속 신앙 따위의 물이 배어 변화를 거듭하는 동안, 자기 것으로 자리 잡는 것이다. 이 견우직녀 이야기는 오랜 세월을 두고, 우리 민족의 정서에 영향을 끼쳤고, 서정의 강물이 되어 우리들 마음자리에 면면히 흐르고 있다.

우리 조상들은 이렇듯 별들을 외경畏敬스런 마음으로 바라보며, 찬양하고 신비스러움을 노래하고 아름다운 이야기를 엮어내는 질박質朴한 삶을 살아왔다.

따지고 보면 오랫동안 별을 볼 수 없었던 것은, 바쁜 도시 생활만을 탓할 일이 아니다. 또 그동안 너무나 생활에 찌들어 있어, 느긋한 마음으로 밤하늘을 즐길 수 없었다고만 말할 수 있을까.

마음자리에 옛 정서가 마르지 않고, 조금이라도 남아 있다면, 도시 생활에서도 별들을 볼 수 있었을 것이다. 별을 보지 못하고 지내 온 세월이 너무나 아쉽다. 앞만 보고 억척같이 살아 온 부끄러운 나날들이었다. 별을 보지 못한 것이 아니라, 별을 잊어버린 헛된 세월이었다.

사람들이 밤하늘을 수놓은 찬란한 별의 무리를, 며칠에 한 번만이라도 쳐다볼 수 있는 여유로움을 가진다면, 우리의 삶이 더욱 넉넉해지고, 마음도 순화가 될 수 있을 것이다.

어느 때쯤, 여름 방학에 서울에 있는 손자들이 이곳에 오면, 서천西川 시냇가에 데려가서, 이곳 맑은 밤하늘과 장관을 이루고 있는 별들을 보여주고 싶다. 또 윤극영이 글을 쓰고 곡을 붙인 서정동요 「반달」을 함께 불러 보고도 싶다. 하지만 그들이 이 늙은이의 객쩍은 뜻을, 시큰둥하게 받아줄 것 같아, 미리 씁쓸한 생각이 든다.

(영주문학 33, 2009 ; 청색시대 20, 2014 ; 경맥문학 5, 2015)

붓 가는 대로 쓴 글

II

팔량치를 넘어온 피난민들

  수구초심首丘初心이란 말이 있거니와, 사람은 본능적으로 자기가 태어난 곳에 대해 별난 애정을 갖는다. 고향을 떠나 사는 사람들은 자라나던 옛일을 그리움으로 되새기고, 보담아주고 뛰놀던 고향산천을 향한 한없는 향수에 젖게 된다. 객지에서 고향 사람을 만나면 고향에서 알음알이가 있고 없고를 떠나, 금방 살갑게 지내는 사이가 되어버리는 것이 예사이다. 이런 정서는 한 곳에 뿌리를 박고, 여러 대를 이어 살 수밖에 없었던, 농경사회의 폐쇄성에서 연유한 것이 아닌가 생각된다.

  작은 고장에서도 나의 마을과 남의 마을을 구별하여, 경쟁심을 갖고 서로 힘겨루기가 행하여졌다. 우리나라의 세시풍속

歲時風俗을 보면, 안동지방의 동채놀이[車戰], 광산지방의 고싸움, 경주지방의 석전石戰 또는 편전便戰 놀이와 각 지방에서 행해지던 줄다리기는 주로 마을과 마을 사이에 벌어진 전통적인 민속놀이였다. 뚜렷한 운동경기가 없었던 옛날, 정월 대보름[上元] 등 명절에 마을사람들의 단합과 명절 분위기를 고조시키는 한 방편이 되었다. 하지만 이런 민속놀이들은 겉으로는 경쟁심에 바탕을 둔 힘겨루기인 듯하지만, 승패를 떠나 인근 부락 간에 친화를 다지는 뜻을 더 크게 담고 있었다. 자기 고장을 사랑하고 남의 고장에 앞서야겠다는 생각은 인간의 본성이라 할 수 있다. 그러나 지금 우리나라는 이른바 지역감정이 크게 고조되어 있고, 특히 동서 간의 갈등은 큰 문제로서 이를 치유할 방법이 쉽게 보이지 않을 만큼 그 도가 심하다. 옛날로 거슬러 올라가도 영호남 간 서로 시기하고 다투는 일이 결코 없었다.

소백산맥은 소백산, 속리산과 지리산 등 많은 명산을 만들고, 크고 작은 강과 하천의 발원지가 되어, 우리 국토를 복된 터전으로 가꾸어 놓았다. 하지만 이 산줄기는 이 땅을 동서로 갈라놓았다. 동고서저東高西低의 지형을 이루어, 서쪽 호남지방은 비옥한 곡창지대를 만들어 물산이 풍족하여, 여유로운 삶

속에서 서정적인 시가詩歌, 국악國樂, 서화書畵 등 기예技藝가 발달하였다. 유학 또한 진흥되어 일재一齋 이항李恒, 하서河西 김인후金麟厚, 고봉高峰 기대승奇大升, 소재蘇齋 노수신盧守愼 등 기호학파畿湖學派의 거유巨儒를 배출했다.

동쪽 영남지방은 산촌이 많아 탁세濁世를 피해 낙남落南한 선비들이 은거하여 학문을 닦는 유향으로 자리 잡게 되었다. 이중환李重煥이 지은 택리지擇里志에는 "영남지방은 지리가 아름답고 인심이 순후한데다가 전통적으로 학문을 좋아하여, 예로부터 장상將相, 공경公卿, 문장文章, 덕행德行, 절의節義로 유명한 이들이 많이 나와 인재의 고장이라 불려왔다"고 적고 있다. 조선 초기의 김종직金宗直을 영수로 하는 영남학파嶺南學派, 중기의 조식曹植을 중심으로 하는 남명학파南溟學派, 이황李滉을 종주로 하는 퇴계학파退溪學派, 그리고 장현광張顯光을 주축으로 하는 여헌학파旅軒學派 등이 형성되었다.

이러한 다소 이질적인 문화를 이루고 있음에도 이 두 지역은 꾸준한 교류가 이어져 왔다. 소백산맥에는 영호남을 연결하는 많은 길이 있어, 사대부들끼리 서로 왕래하고, 보부상褓負商들에 의해 생산품의 교역도 이루어졌다. 그 통행로 가운데 이름난 고갯길은 거창과 무주를 잇는 지경령地境嶺, 함양과 남원을 연결하는 팔량치八良峙, 거창에서 진안으로 넘어가는 육십령六十 嶺 등이 있었다.

나의 14대 조부의 문집 『시은당선생문집市隱堂先生文集』에 임진 왜란과 정유재란 당시의 문견록聞見錄과 일기日記가 실려 있다. 일기 가운데 정유재란 때 광주光州에 사는 고순후高循厚 형제가 가솔家率 80여 명을 이끌고 안동 풍산의 우리 집으로 피란왔다 가 난이 평정되어 고향으로 돌아갔다는 기록이 있다. 고순후 는 호남의 명문 장흥 고씨長興高氏의 후손으로 충렬공忠烈公 고경 명高敬命의 아들이다. 고경명은 명종 13년 식년문과式年文科에 장 원급제했다. 그러나 그의 벼슬길은 순탄하지 않았다. 주로 외 직으로 울산군수, 한산군수, 동래부사 등을 지내다가 벼슬을 접고 고향으로 돌아가 학문에만 전념했다. 1592년 임진왜란 이 일어나 한양이 함락될 위기에 처해 왕이 의주로 파천播遷하 였다는 소식을 듣고, 장남 종후從厚, 차남 인후因厚와 더불어 의 병을 일으켜, 전라좌도 의병대장에 추대되어, 호남을 중심으로 왜병과 싸우다가, 세 부자가 모두 순절했다. 졸지에 부친과 두 형을 잃은 삼남 순후循厚, 사남 용후用厚는 함께 집안을 정리하 고 있던 중, 또 다시 정유재란이 일어나자 팔량치八良峙를 넘어

먼 피란길에 올랐던 것이다.

　지난 1992년은 임진왜란이 일어난 지 400주년이 되는 해였다. 『월간조선月刊朝鮮』이 임란 400주년 특집기사의 하나로, 그해 10월호에 『시은당선생문집』에 실려 있는 임진왜란과 정유재란 기간 중의 문견록과 일기를 중심으로 하는 장문의 기사를 실었다. 이 특집기사를 공교롭게도 고경명의 14대손인 서울에 사는 고홍석高洪錫이 읽게 되었다. 그는 당장 안동 풍산에 있는 우리 집[시은고택市隱古宅]을 찾아왔다. 자기 집안에는 13대 조부 순후, 용후 형제분이 안동으로 피란했다는 기록이 남아있지 않다고 하면서, 400년의 세의世誼있는 집안 간이니, 자기들 문중에서는 결코 잊지 못할 것이라 했다.

　고순후 가솔들이 우리 동네를 피란처로 택한 것은 어떤 인연이 있기 때문이다. 무작정 준령을 넘어 1,000리 먼 길을 찾아왔을 리가 없다. 그들은 우리 문중과 그 전부터 서로 교분이 있었으므로 어려운 피란처를 우리 집과 일족들이 사는 우리 마을로 택한 것이다. 고경명의 조부 하천霞川 고운高雲과 나의 16대 조부는 서울에서 정암靜庵 조광조趙光祖와 동문수학하고 가까이 지낸 사이였다. 기묘사화己卯士禍가 일어나 조광조가

화를 입자, 그에 연루될까 두려워 광주와 안동으로 각각 낙향했던 것이 아닐까. 두 가문은 영호남에 떨어져 살면서도 인연을 끊지 않고 서로 연락하면서 지낸 것이라 생각된다. 그들 가솔 80명은 고순후 형제와 그의 집안사람들과 그 집에 딸린 노비奴婢들이었을 것이고, 마을 여러 집에 나뉘어져 기식하며 농사일을 돕고 지냈을 것으로 예상된다.

그때는 지금처럼 영호남 지역감정이란 있을 수 없었다. 유림들 간에 서원書院, 사우祠宇 등의 향사에 재임齋任이 되어 서로 오가고, 통혼도 하고, 하인들을 시켜 서찰도 교환했었다. 지금의 영호남 간 고질적인 나쁜 감정은 소백산맥이란 자연의 장벽이 만들어놓은 것이 아니라, 인간들이 저질러 놓은 것이다. 근래에 정치하는 사람들이 자기들의 잇속을 좇아 편을 가르고, 감정을 부추겨서 생겨난, 후세까지 결코 용서받지 못할 죄과임이 분명하다.

(영주문학 34, 2010 ; 경맥문학 9, 2019)

더불어 사는 지혜

   정부인貞夫人 안동 장씨가 저술한 『음식디미방』은 한글로 쓴 음식 요리책으로 우리나라에서 가장 오래된 것이다. 146가지 음식의 조리법과 조리기구, 저장법을 상세히 적고 있어 우리나라 음식 문화의 변천을 알 수 있는 귀중한 자료가 되고 있다. 그는 시문과 서예에도 뛰어나고, 사대부 가문의 법도와 범절에 벗어남이 없는 현모양처로 명성을 떨쳤다. 이 『음식디미방』 외에도 한문으로 쓴 시문, 서찰, 유묵遺墨, 행장行狀 등을 담은 목각판 문집 『정부인 안동 장씨 실기貞夫人安東張氏實記』가 전해져 당대의 손꼽는 규방문필가로 알려져 있다. 그는 조선조 인조 때 영양英陽으로 낙향해 후학 육성에 힘썼던 석계石溪 이시명李時明의 부인이며, 그의 아들은 퇴계 선생의 학통을 이은 거유ᄐ

儒 존재存齋 이휘일李徽逸과 이조판서를 지낸 갈암葛庵 이현일李玄逸이다.

이 음식디미방의 이야기를 하는 것은 그곳에 실려 있는 음식들 가운데 놀랍게도 개고기를 재료로 하는 여러 가지 음식이 자세히 소개되고 있기 때문이다. 그 때에도 우리 조상들은 개고기를 널리 식용했음을 알 수 있다. 옛날 내륙지방에서는 바다가 멀리 있어 생선을 접하기 어려우니 집에서 기르는 개와 닭이 주된 육식거리가 될 수밖에 없었을 듯하다. 여러 가축이 있지만, 놓아먹여도 잘 자라고 번식도 잘 되는 개와 닭이 제격이었을 것이다.

개는 야생동물에서 가장 먼저 가축화되어 오랜 세월을 두고 인간과 가까이 지낸 충직한 동물이다. 우리나라 여러 곳에서 의구총義狗塚과 의구비義狗碑가 발견되고, 고려 충렬왕 8년에는 개성 진고개에서 의지할 데 없는 눈먼 아이를 데리고 다니면서 밥을 얻어 먹여 키운 의견義犬이 있어, 나라에서 그 개에게 벼슬을 내리고 그 갸륵함을 기렸다는 기록이 전해지고 있다.

또 근래에 있었던 일로, 어느 잡지에서 본 이야기이다. 지방에 사는 어떤 사람이 자기 집 개에게 물건을 사는 심부름을 시켜 왔는데, 그가 서울로 이사를 오게 되었다. 서울에 와서도 어느 날 필요한 물건을 종이에 적고 돈과 같이 입에 물려, 근처 가게에 심부름을 보냈다. 하지만 며칠이 지나도 개가 돌아오지 않아 큰 걱정을 하고 있던 중, 지방의 그가 살던 동네 가게 주인이 전화를 했다. 그 개가 탈진한 상태로, 메모지와 돈을 입에 물고, 자기 가게를 찾아왔다는 연락이었다. 며칠 동안 아무 것도 먹지 못하고 늘 다니던 그 지방의 가게까지 달려간 것이다. 눈물겹도록 착하디 착한 그 개, 사람에게서도 찾아볼 수 없는 순박함과 주인에 대한 충성심은 감탄할 수밖에 없다.

개는 사람과 끈끈한 정을 나누며 살아온 동물이다. 언제나 맑은 눈빛으로 주인을 보면 깡충깡충 뛰면서 매달리는 더 없이 순량한 개를, 우리 조상 때부터 식용해 왔다. 음식은 생활의 환경과 내려온 전통과 습속, 종교적 신념에 의하여 나라마다 차이가 있을 수 있지만, 하나로 가까워진 지구촌에서 다른 나라 사람들의 눈치를 살피지 않을 수는 없을 듯하다. 유럽의 동물보호단체에서 개를 잡아먹는 우리나라 사람들을 모멸하며 시비를 걸고 있다. 우리나라 사람들이 개를 잡는 장면을 찍은 사진을 공개하며, 마치 미개인처럼 선전하고, 반한 분위기를 일깨우는 것을 서슴지 않고 있다.

  동물 보호가 소, 돼지와 같은 가축들은 괜찮고 오직 개에만 한한다는 논리가 어떻게 이루어지느냐고 할 수도 있을 것이다. 하나 그들의 행동도 개의 인간과의 친화적 관계를 마음에 둔 데서 나오는 것이리라. 이런 나라 사람들의 눈을 피하기 위해, 88년 서울올림픽 때는, 서울 시내에 있는 보신탕 가게를 뒷골목이나 변두리로 옮기게 한 웃지 못 할 일을 저지르기도 했으니, 참으로 한심한 일이다.

  우리의 전래 무술인 태권도가 전 세계에 보급되어 국위선양을 이끌어 왔고, 올림픽 종목으로까지 채택되었다. 또 우리나라의 우수 두뇌들이, 세계 곳곳에서 능력을 발휘하여, 한민족의 뛰어난 자질을 과시하고 있다. 요즘 대중가요, 드라마, 영화, 국악과 우리 음식들이 한류를 타고 각국에서 인기를 모으고 있다. 그런 가운데 어느 외국 관광객이 우리 음식을 보고 개고기 수프가 들어간 것이 아니냐는, 느닷없는 질문을 하더라는 이야기를 들었다. 참 어처구니없고 찬물을 끼얹는 듯한 섬뜩한 말에 크게 당황할 수밖에 없는 노릇이다.
  지금 일어나고 있는 이 한류는 누가 짐짓 만들어 내거나, 부추겨서 생겨난 것이 아니다. 저절로 일어나 나라의 품격을 끌어 올리는 기운으로 번져가고 있다. 이러한 흐름이 계속 이어지도록 더욱 자중해야 할 것이다. 아무리 좋은 음식이라도 이웃이 혐오하고 못마땅해 하는 것은 절제하는 것이 더불어 사는 사람들이 지켜야 할 큰 덕목이다. 정녕 몸에 좋다는 개고기라도 다른 나라 사람들이 눈살을 찌푸리고 손가락질하는 것을 선진국 반열에 들어가고 있는 나라 사람들이 계속 고집해야 할지를 깊이 생각해 볼 일이다.

(청색시대 17, 2011 ; 경맥문학 10, 2020)

마음을 비우라고 하지만

2008년 성탄절 전날, 친구 K가 위독하여, 서울 S병원에 입원했다는 연락이 왔다. TV 탤런트인 그의 큰아들의 전화였다. 행여 불치의 중병이란 대답이 나올까 두려워, 무슨 병이냐고 차마 물을 수 없었다.

연말이라 한 해의 마무리로 무척 바쁜 때지만, 그와의 교분을 생각할 때, 만사를 제쳐두고 당장 상경하지 않을 수 없었다.

평소 건강한 편이었고, 얼마 전까지 아무렇지도 않던 그가 초췌한 몰골로 병상에 누워있는 것을 보는 순간 목이 메어 왔다.

산소 호흡기를 차고 있었으나, 먼 길을 찾아온 나를 무척 반긴다. 무엇인가 열심히 이야기를 하지만, 입을 가리고 있어 알아들을 수 없었다. 그의 딸이 옆에 앉아 말을 듣고 일일이 나에게 전해 준다. 생명이 경각에 달렸음에도 나의 걱정을 하고 있었다. 건강 검진을 자주 받고 술 담배를 끊으라고 한다.

폐암 말기 진단을 받았다는 데도 정신은 놀랄 정도로 또렷했고, 표정도 퍽 평온해 보였다. 시골에 내려갔다가 곧 다시 오겠다는 말을 남긴 뒤 무거운 발길을 돌렸다.

그로부터 보름쯤 지난 후 그예 그의 부음을 받았다. 이번에는 입원실이 아닌 영안실을 찾게 되었다.

영전에 분향을 마치자, 그의 딸이 나에게 편지를 전한다. 작고하기 며칠 전에 써서 나에게 주라고 했단다.

영안실에서 망인의 편지를 받는 일은, 아마 듣도 보도 못한 일이 아닐까 생각된다.

편지에는 약관에서 시작하여 고희를 넘기기까지 쌓아온 정분이 자랑스럽고 고맙다고 했다. 자기는 먼저 가니 건강하게 오래 살라는 사연의 글을 쓰고, 끝으로 '허심시아사虛心是我師'라는 글귀를 남겼다.

그 한자 문구에 담긴 차원 높은 뜻이야, 범류凡類에 속하는 나 같은 사람이 깊이 알 수 있으랴마는, 겉핥기 풀이로는 마음을 비우고 살라는 경구警句이다.

가슴을 숙연케 하고 죽을 때까지도, 우정이 넘치는 충고를 남기고 간 뜻이 눈물겹기만 했다. 죽음을 맞아 모든 것을 털어버리고, 아끼는 벗에게 정이 담긴 글을 남기는 여유로움은 범상凡常을 뛰어넘는 일이 아닐까 생각된다.

그와 나의 인연은 고등학교에 입학하여, 같은 학반에 배치됨으로써 시작되었다. 안동의 면 소재지에 있는 작은 중학을 졸업한 후 어쩌다가 들어가기 힘든 명문학교에 합격했다.

입학생 거개가 경북 중학을 주로 한 대구 시내 학교 출신이었으므로, 나의 경우는 촌닭 장에 나온 꼴이었다.

그는 이상하게도 나의 든든한 후원자가 되어, 촌놈인 나를 늘 감싸고 여러모로 도와줬다.

고등학교를 졸업한 후, 두 사람은 대학도, 직장도, 가는 길이 달랐다. 하지만 서로 간의 우정은 변함이 없었고, 연락이 꾸준히 이어졌다. 직장을 그만둔 후에는 더욱 자주 만나 우의를 나누었다.

50년이 넘게 그와의 사귐이 끊이지 않은 것은, 무엇이라 표현할 수 없는 그의 인간됨이 나를 매료시켜 보이지 않는 흡인력으로 작용한 듯하다.

그는 남의 언행에 대하여 역지사지易地思之했고, 늘 긍정적으로 받아들였다. 남을 낮잡아 보거나, 험담하는 일을 본 적이 없다.

일생을 별 욕심 없이, 남에게 폐를 끼치지 않고, 순리대로 살다가 갔다. 외숙이 정부 고위직을 두루 거친 유력한 분임에도, 공직에 근무하면서 그의 힘을 빌려 하지 않았다.

청빈하게 살아, 남기고 간 재산이라고는 작은 아파트 한 채가 고작이었다.

나는 지금 역삼동에 있는 그의 단골이었던, 삼계탕 집에 혼자 앉아 있다. 그가 그립고 울적한 마음에서 찾아 왔다.

내가 영주로 낙향한 후, 달에 두세 번 상경하는 때는 두 사람이 주로 이곳에서 만나곤 했다. 노인이 많이 먹으면 해롭다면서 반 마리 삼계탕, 시쳇말로 반계탕을 시킨다. 그러면 오랜 단골손님 대접인 듯, 주인은 다른 손님들과는 달리, 인삼주 한 병을 덤으로 준다.

그 언젠가 그와 내가 이 자리에서, 인삼주를 마시면서 나눈 이야기가 생각난다. 언제나 마음씨가 여유롭지 못하고, 헛된 꿈에 자주 빠져드는, 나를 향한 그의 충고가 절절히 귓전을 울린다.

"만사를 느긋하게 생각하고, 욕심을 버리라"는 말을 늘어놓았다. 그의 말이 무척 고맙다는 것을 느끼면서도, 짐짓 어깃장을 놓았다.

"욕심은 인간이 발전할 수 있는 원동력이고 원초적인 본성이다. 욕심은 유아가 젖을 많이 먹으려는 식탐食貪에서 시작하여, 늙은이의 고집스런 노욕老慾으로 이어지고, 죽을 때까지 숙질 수 없는 속성이라"며 반격했다.

속물근성을 여과 없이 쏟아낸 말이었다. 그의 말이 그런 뜻이 아니고, 매사에 평정심平靜心을 갖고 허상虛想에서 벗어나라는 것임을 번연히 알면서, 고즈넉이 받아주지 못하고 퇴박했던 일이 크게 후회된다.

번뇌와 망상으로 메워진 나의 마음을 어찌 다스려 비울 수 있을까. 헛된 꿈과 아집에서 벗어나지 못하여, 스스로 만든 고뇌에 빠져 살아온 날들이 부끄럽기만 하다.

채근담菜根譚에 나오는 글귀가 떠올라 더욱 자괴自愧에 젖게 한다.

"세인위영리전박世人爲榮利纏縛 진세고해 塵世苦海 ─ 중략中略 ─
세역부진해역불고해世亦不塵海亦不苦海 피자진고기심이彼自塵苦其心爾"

"사람은 영리에 매여 진세塵世니 고해苦海니 하지만, ─ 중략 ─
세상은 진해도 고해도 아니다. 제 스스로 마음을 티끌과 괴로움으로 만들고 있다."

　세상이 삭막해지면서, 잇속을 쫓아 친구도 사귀고, 쓸모가 없으면 못 본 체 버린다. 요즘 세상에는 일생을 두고 참다운 지기知己를 갖는 것이 어렵게 되었다. 그가 떠난 후, 한동안 나는 주위에 사람이 없는 듯한 공허감에 빠지곤 했다.

　'허심시아사虛心是我師'라는, 남기고 간 충언이 가슴을 아리게 한다. 하지만 고희를 넘긴 나이에 깊이 병든 심성을, 편작扁鵲이 살아서 온들, 어찌 고칠 수 있을까. 그저 답답할 뿐이다.

　그래도 어찌하랴. 죽는 날까지 애쓰면서 살아야지. 벗의 참된 우정이 고맙고, 한없이 그리워진다.

(경맥문학 창간호, 2011)

겸양과 자존

　바람꽃은 주로 강원도 북녘에 자생하는 야생화다. 한여름에 매화를 닮은 하얀 꽃을 피운다.

　내려오는 순 우리말에, 꽃 이름이 아닌 바람꽃이 또 있다. 큰 바람이 일 조짐으로, 먼 산에 구름처럼 끼는 뽀얀 기운을 말한다. 흰 꽃이 무리지어 피어 있는 모습을 그런 바람꽃에 비유해 붙인 이름인 듯하다.

　식물도감을 보면 너도바람꽃, 나도바람꽃이 또 있다. 이 세 꽃은 같은 미나리아재비과에 속하는 여러해살이풀이지만, 잎과 줄기의 모양새와 꽃 피는 때도 서로 다른 별개의 품종이다.

　다만 꽃모양과 색깔이 서로 닮았고, 자생지도 같은 지방이다. 옛날 사람들이 바람꽃을 처음 발견하고 이름 지어 부르기 시작한 뒤에, 또 비슷한 꽃들이 뜨이자, 너도바람꽃 나도바람꽃이란 이름을 붙인 것이리라. 비슷한 품종의 꽃에 동떨어진 새 이름을 짓는 것보다 너도와 나도의 꼭지말을 얹어 쓰는 것이 더 편리했는지 모를 일이다.

말 못하는 풀꽃에 저들의 뜻과는 상관없이 인간이 붙인 이름이긴 하지만, 너도와 나도는 그 풍기는 말맛이 묘하게 다르다. 사람으로 이르자면, 너도바람꽃은 제 할 일만 하면서 묵묵히 있는데도 남이 됨됨이를 인정하여 달아 준 이름이며, 나도바람꽃은 아무도 알아주는 이가 없으니 스스로 자기를 추켜세워 붙인 이름인 듯한 느낌을 준다.

너도바람꽃형의 사람들은 타인의 좋은 평가에도 그리 솔깃하지 않고 담담한 반면, 나도바람꽃형의 사람들은 자기 과시를 위해서 적극성을 갖는다.

나의 종형從兄은 일제 때, 지금 농협의 전신인 금융조합에 근무하면서 안동安東 지방을 중심으로 반일운동을 하다가, 왜경에 검거되어 일 년 반 동안 옥고를 치렀다.

광복 후, 가족들이 독립유공자 등록을 권했으나 듣지 않았고, 자기의 미미한 행적을 내세우는 것을 부끄러운 일이라고 여겼다. 2005년 노환으로 작고한 후에, 가족들이 보훈처에 신

청하여, 이듬해 2006년 광복절에 건국훈장 애족장이 추서되어, 세종문화회관에서 열린 경축식에서, 장녀가 대통령으로부터 훈장을 받았다.

종형이 공무원이 되어, 경북도청에 근무할 때의 일이다. 중학교 동기 동창이며 아주 친하게 지내던 친구가 도지사로 부임했으나, 지사가 자기를 찾기 전에는 그의 방에 출입하지 않았다. 어느 날 지사가 불러서 갔더니, 청내에서 몇째 안에 드는 고참 주사이니 승진을 시켜주겠다는 말에, 지금의 자리에 만족한다며, 한사코 사양했다는 일화가 있다.

공직을 물러난 뒤, 수필집을 펴냈다. 대구의 일간신문 문화면에서는, 중견 작가에 못지않은 뛰어난 수준이란 서평을 실었다. 그럼에도 일생을 두고 어느 곳에나 작품 한 편을 발표한 적이 없었다.

내가 중앙의 어느 부처 감사실에 근무할 때이다. 대구에 있는 어느 기관을 감사하기 위해 출장을 가서 종형을 만났다. 출장을 온 사유를 이야기했더니 "남을 감사하는 일처럼 어려운 일은 없다. 일을 그렇게 처리할 수밖에 없었던 이유를 꼼꼼히 살피고, 나라면 어떻게 했을까를 생각하여, 잘못된 판단을 내려서는 안 된다"고 했다. 역지사지易地思之하라는 가르침이다. 너무나 과묵하여, 그때까지 사촌동생인 나에게 진지한 말을 해

준 적이 한 번도 없었다.

모든 일에 사려가 깊지 못한 나는 종형의 충고에 깊은 감명을 받았고, 이제는 유훈이 되어버린 그 말을 때때로 되새기며 삶의 길잡이로 삼고 있다.

그분이야말로 요즘 세상에 찾아보기 힘든 너도바람꽃 같은 분이라 생각한다. 전통적인 유문儒門에서 태어나 일찍이 한학과 유교적 사고에 젖었고, 타고난 안온한 성품이 그에 더해져 종형을 그런 인격으로 형성시킨 것으로 본다.

이제 세상이 변하면서 너도바람꽃과 같은 겸양謙讓과, 나도바람꽃과 같은 자존自尊에 대한 가치관은 새로이 조명되어야 할 것이다.

개방과 세계화의 시대에 살면서 은둔隱遁하여 현실에서 물러서려는 생각은 맞지 않다고 생각한다.

또 자기의 소양과 능력을 참되게 알려, 사회에 기여할 적재적소를 찾는 것은 슬기롭고 유익한 일일 것이다.

지나친 겸양과 절제되지 않은 자존은, 모두가 나라에 도움이 될 수 없다. 하지만 많은 너도바람꽃과 나도바람꽃 가운데, 옥석을 가려내는 일은 쉽지가 않다. 용인用人은 치정治定의 근본이라 했지만, 능력이 있고 별다른 흠결이 없는 인재를 찾는 일이 그리 쉽지 않다.

정권이 바뀌면 새 권력의 주변에 몰려드는 나도바람꽃 같은 인물들을 볼 수 있다. 이들을 모두 몹쓸 사람들로 볼 수는 없다. 깊은 검증이 필요하고, 충분한 여과 없이 사람을 쓰게 되면, 나라를 다스리는 데 어려움을 겪게 된다.

인재를 구하는 데는 자기 주변에 머물지 말고, 멀리까지 눈을 돌려야 할 것이다. 시야를 크게 넓힐 때, 소외된 외진 곳의 흙에 묻힌 옥과 같은, 값진 일꾼을 찾을 수 있을지 모를 일이기 때문이다.

(청색시대 18, 2012)

솔이 있어서 좋은 산

　내가 서재를 겸하여 쓰고 있는 작은 방에는, 전지 크기의 노
송老松 그림 한 점이 걸려 있다.

　산수화에서 흔히 볼 수 있는, 산과 물이 있고, 적당한 곳에
몇 그루 소나무를 그려 놓은 그런 작품이 아니다. 늙은 솔 한

그루를 전지에 꼭 차게 담고 있다. 그러다 보니, 아래윗등은 그려낼 수 없고 우람찬 몸통과 거기에서 뻗어 나간 여러 개의 큰 가지를 균형감을 살려 배치해, 빼어난 구도를 만들어냈다. 풍상에 찌든 오랜 세월의 흔적을 고스란히 안고 있는 억센 노구老軀는 구부정하고, 곱고 정교했을 옛 송린松鱗도 이리저리 할퀴어 거칠기만 하다.

나는 글을 쓰거나, 다른 일을 하다가 정신 집중이 되지 않을 때, 손을 놓고 한동안 이 그림을 쳐다보며, 마음을 가라앉히는 때가 많다. 그것을 보고 있으면 송림松林을 바로 대하는 듯한 느낌을 주기 때문이다. 비록 무명 화가의 그림인 듯하지만, 나에게는 퍽 마음에 드는 작품이다.

이렇듯 소나무를 남달리 좋아하는 나는 그 나무숲을 걷기를 좋아한다. 산림욕으로 피톤치드를 흡수하여 건강을 지키려는 욕심에서가 아니다. 너무 진하거나 속기에 젖지 않은 산뜻한 향내가 더없이 좋고, 거친 가지에 사계절 푸른 잎을 달고, 우리의 산줄기를 지키고 있는, 그 아래를 거닐면, 정신이 맑아지고 온몸에 생기를 불어넣는 듯하기 때문이다.

고고한 기상과, 사위의 변화에 잠시도 눈길 주지 않는 꼿꼿한 자세는 단연 수목 중의 군자로 생각된다. 고산 윤선도는 오우가五友歌에서 눈서리를 굳건히 지켜내는 솔의 불굴의 의지를 노래했고 추사 김정희의 세한도歲寒圖는 북풍한설에도 푸른 잎을 지키고 있는 소나무를, 어려움 속에서도 변치 않는 사제 간의 절의에 비유했음은 너무나 잘 알려진 이야기가 아닌가.

내가 자란 고향 마을 앞동산에는 소나무가 많았다. 잡목들과 어우러져 마을을 포근하게 감싸고 있었다.

특히 앞산인 남산南山에는 수령이 수백 년은 되었음직한 큰 적송赤松 한 그루가 있었다. 아랫몸피는 어른이 끌어안아도 두어 아름은 됨직한 거목이었고, 나무 전체가 공중을 향해 자라지 않고, 산기슭과 서너 자尺 사이를 두고, 비스듬하게 뻗었는데 나무 길이는 이십여 미터쯤 되었던 것으로 기억된다.

우리 마을 아이들은 붉은색을 띠고 옆으로 자란 거대한 소나무를 용솔이라 불렀다. 커다란 붉은 몸을 땅 위에 엎드려 승천할 채비를 하는 듯한 그 모습을 두고 지어낸 이름일 것이다. 그 노송이 차지한 널찍한 야산 기슭은 마을 아이들 놀이터가 되었다.

고향을 떠나 살면서 이따금 향수에 젖을 때면 그 용솔이 떠오르곤 했다. 언젠가 지방 자치 단체에서 그 희귀한 노송을 보호수인 천연기념물로 지정했다는 소식을 전해 듣고 무척 반가워, 썩 잘된 일이라 생각했었다. 하지만 몇 해 전에 고향에 있는 친구에게 그 용솔에 대한 안부를 물었더니, 병에 걸려 고사했다는 이야기를 했다.

장생불사한다는 십장생+長生의 하나로 꼽는 소나무일지라도, 천수를 다하면 죽을 수밖에 없겠지만, 그 용솔은 그때의 상태로 봐서는 죽음에 이를 나이는 아닌 듯했는데, 날벼락 같은 소식에 크게 낙담했다.

보호수로 지정만 하면 무슨 소용이 있단 말인가. 관리 책임을 맡은 곳에서 때때로 현장을 돌보아, 병기病氣를 일찍 발견했다면 요즘 기술로는 치료 방법이 있었을 텐데 안타까운 일이다.

우리나라가 아열대성 기후로 바뀔 조짐이 일면서 소나무가 점점 도태되어가고 있다는 이야기가 들린다. 우리 고향의 용솔도 그 희생물이 아닌가 하는 생각이 들기도 한다.

우리들의 산에 소나무가 없다면 얼마나 삭막할까를 생각해 본다. 활엽수만 꽉 차 있는 산은 봄철의 신록, 여름의 녹음, 가을의 단풍은 좋지만, 나목으로 남아 설한풍을 맞는 겨울을 생각해 보라. 얼마나 을씨년스런 정경이 될 것인가. 소나무는 거름기 없는 박토에서도 잘 자란다. 더러는 바위 틈새나 암벽에도 뿌리를 내리고 고고한 자태를 굳게 지킨다.

이와는 달리 활엽수는 기름진 땅을 좋아하여, 비옥하고 습윤濕潤한 계곡에 군락을 이루고 있다. 소나무는 대개 산의 능선이나 기슭의 메마른 땅으로 밀려나 있음을 볼 수 있고, 더러는 개울가나 바닷가 모래땅에까지 삶의 터전을 잡고 있다.

이렇게 소나무는 좋은 자리는 잡목들에게 내어 주고 그들과 적당히 어울려 공생하면서 우리 강산의 운치를 드높여 준다. 군자가 어찌 호의호식과 분에 넘치는 거처居處를 탐할 것인가. 기름지고 아늑한 자리는 남들에게 밀쳐주는, 베풂과 후덕한 기품을 지니고 있다.

그러기에 소나무가 있는 곳은 땅이 메말라서 잡초도 자랄 수 없으니 예부터 '송백지하松柏之下 기초불식 其草不殖'이라 했다.

기암창송奇巖蒼松과 백사청송白沙靑松이 겨레의 기상과 정서를 길러온 것이라 생각된다. 변함없고 고결한 자태는 언제 보아도 싫증이 나지 않고 우리의 심성을 말끔히 순화시켜 왔다.

유럽이 자작나무 문화, 일본이 조엽림문화照葉林文化를 내세우고 있지만 우리 민족은 소나무 문화권에서 살아왔다고 해도 지나친 말이 아닐 듯하다. 우리 민족의 얼이 서려 있는 소나무는, 우리 조상들의 시문과 그림에는 거의 주제로 등장하고 있다. 대표적인 민화民畵 작호도鵲虎圖에도 소나무 위의 까치, 그 밑에 호랑이가 있음을 볼 수 있다.

소나무를 지키고 가꾸는 일은 전래된 민족 문화를 기리고 이어나가는 일이라 생각한다. 또 소나무가 울창한 산은 우리 국토를 더욱 아름답게 하고, 겨레의 기상을 드높여 주는 일이라 여겨진다.

기후가 변하더라도 새 풍토에 맞추어 자랄 수 있게 하는 연구가 이루어질 수는 없을지, 안타까운 생각이 든다.

(경맥문학 2, 2012)

방향 감각

계절을 따라 옮겨 다니는 철새들을 보면 신기하기 그지없다. 제비는 우리나라에서 더운 철을 나고, 늦가을이 오면 가까이는 대만, 멀리는 태국에까지 날아간다고 한다. 가녀린 몸집으로 머나먼 곳을 오갈 수 있다는 것은 놀라운 일이다. 또 이듬해 봄이 오면 가던 길을 따라, 지난 해 틀었던 둥지로 어김없이 찾아오고 있으니, 눈썰미와 방향 감각이 얼마나 뛰어난지 알 수 있다.

하나 고등동물이란 사람은 미물인 야생조류보다도 방향 감각이 뒤지고 있으니 정말 모를 일이다.

사람에 따라서도 방향 감각이 큰 차이가 있다. 방향 감각은 사물에 대한 판별력과도 맥을 같이 하기 때문에, 세상 살아가는 데 큰 몫을 한다.

나는 원래 방향 감각이 퍽 무딘 편이다. 평소 몇 번 간 적이 있는 곳을 다시 찾는데도 곤혹을 치르는 때가 많다. 도시에서 길을 찾지 못하고 헤매는 것은 조금은 불편하나 크게 탈날 일은 아니지만, 산 속에서 길을 잃을 때는 그 고초가 이만저만이 아니다.

1986년 가을에 있었던 일이다. 난蘭을 가꾸는 동호인들끼리 전라남도 장성군으로 탐란探蘭의 길을 떠났다. 우리나라 춘란春蘭 자생지에 가서 관상가치가 있는 품종을 찾는 일이다. 자생지에는 춘란이 지천으로 군락을 이뤄 자라고 있다. 애란인愛蘭人들은 그것을 아무 거나 남채하지 않고, 돌연변이를 일으켜 잎에 무늬가 들었거나, 꽃이 여러 가지 색으로 변한 색화色花와 같은, 원예품으로 배양할 가치가 있는 것을 찾는다.

이른 아침, 대절 버스로 서울을 출발하여 목적지 장성의 어느 부락에 도착한 것은 9시 경이었다. 그 마을 뒤편에 있는 높은 산줄기를 타고 탐란을 한다는 계획이었다. 서른이 넘는 사람들이 산에 올라 난을 찾아다니다가, 오후 3시에 세워둔 버스로 돌아와, 귀경길에 오른다는 얽이가 짜여 있었다.

춘란은 주로 동남향의 산, 소나무 숲의 반그늘에서 자란다.

난을 좋아하는 사람들에게는 난의 자생지를 찾는 것보다 더 즐거운 일이 없다. 소나무의 산뜻한 향내에 취해 그 밑을 거닐면, 우리의 잘난 춘란들이 옹기종기 모여 살고 있다. 골짜기를 헤매며 이들을 살펴보는 동안은 온갖 잡된 생각과 시름도 가신다.

우리 동호회원들은 헤아릴 수 없이 여러 번을 탐란 길에 올랐으나, 거의 모든 이가 빈손으로 돌아온다. 그래도 이 일을 되풀이하는 것은 우리 자생란이 좋아 그것에 외곬으로 빠져있는 중증환자들이라 볼 수밖에 없다.

이 날도 나는 여기저기 계곡을 헤매며 난을 찾아 돌아다녔다. 모든 것을 잊은 채 수없이 흩어져 자라고 있는 매무새 고운 춘란들을 살피며, 그 가운데 있을 수 있는 희귀종을 찾는 일에 시간 가는 줄 몰랐다.

벅찬 운동 때문에 온몸이 땀범벅이 되었고, 심한 갈증과 허기를 느꼈다. 정신을 한 곳에 쏟은 탓에 배낭에 넣어 둔 도시락을 먹는 것도 거른 것이다.

시계를 보니 하산할 채비를 해야 할 시간이 거의 되었다. 일행들을 찾기 위해 '야—호'를 외쳐 봤으나, 아무도 반응이 없었다. 나의 근처에는 아무도 없음이 분명했다. 난을 살피며 밑만 내려다보고 댓 시간을 돌아다녔으니, 완전히 길을 잃어버린 것이었다.

근처의 제일 높은 봉우리에 올라, 사방을 살펴보았으나 처음 산에 오르던 곳을 짐작할 수 없었다. 나 혼자라면 아무 곳으로나마 내려가, 큰 길에 이르면 서울 가는 교통편을 찾을 수 있을 것이나, 약속된 시간에 돌아오지 않는 나를 애타게 기다릴 일행들이 문제였다. 시간은 자꾸 흐르고 마음은 더욱 조급해졌다.

하는 수 없어 무턱대고 한 골짜기를 따라 산 아래로 내려갔다. 그때 궁하면 통한다는 말처럼 요행은 찾아왔다. 마침 그곳에 트럭 한 대가 벌채한 소나무를 싣고 막 떠나려는 참이었다. 운전자에게 여기가 어디냐고 물으니 영광군의 어느 산이라 일러준다. 산 속을 이리저리 헤매다 이웃 군으로 빠져버린 것이니, 지나치게 굼뜬 나의 방향 감각이 또 다시 불거진 것을 자탄하는 순간이었다. 그 트럭 운전자의 살가운 도움으로 장성을 거쳐 전주에 있는 제지회사로 간다는 그 차에 편승하여, 처음 입산했던 마을까지 갈 수 있었다.

심한 고생 끝에 버스 출발시간에 맞춰 목적지에 닿을 수 있었으나 온몸이 식은땀에 젖어 있고, 긴장이 풀리면서 피로와 헛헛증이 온몸에 몰아쳤다.

우리 사회가 날로 복잡해지고, 제대로 정신을 차리지 않으면 살아갈 수 없게 되었다. 이 어려운 세태에 적응하기 위해서는 뛰어난 방향 감각과 판별력이 필요하다.

요즘, 줄을 잘 서야 한다는 말이 유행처럼 쓰이고 있다. "그 사람 약빠르게 줄을 잘 서서 빛을 봤어"라는 말을 흔히 들을 수 있다. 이러한 예를 우리 주위에서 쉽게 찾을 수 있다. 예리한 방향 감각을 십분 발휘하여 입신에 유리한 사람들 편에 재빠르게 줄을 서서 성공(?)하는 사람이 있다. 반면 무모한 아집에 빠져, 외골수로 엉뚱한 길을 택하여 좋은(?) 기회를 놓치는 방향 감각이 둔한 사람도 있다.

일생을 살다가 노년에 이르렀으나, 아직도 나는 세사에 대한 방향 감각이 지나치게 뛰어난 사람들이 그리 부럽게 느껴지지 않는다.

비록 장성에서 산에 올라 길을 잃고 허우적거리다가 영광으로 빠지는 것처럼 일생을 살아왔지만 별다른 회한은 없다.

세상을 지나치게 영악스레 살지 않고 상식을 좇아, 상선약수 上善若水란 가르침처럼 물 흐르듯이 보내는 것이 자신은 물론 주변 사람들을 편안하게 하는 길이라 생각되기 때문이다. 하지만 이 또한 세상을 어리석게만 살아온 사람의 자기변명을 담은 궤변이 아닐까 두렵기만 하다.

(청색시대 19, 2013)

아름다운 인연

    우리나라 사람들은 유난히 인연을 중히 여긴다. "길을 가다 돌을 차도 연분이다"란 속담처럼 사소한 일도 다 연분이 닿아야 이루어진다고 생각한다.

    오랜 세월 불교 문화에 젖어 연기설緣起說의 영향이 큰 것인지 모를 일이다. 불가佛家에서는 선근善根을 심으면 선과善果를 맺고, 악한 일의 뒤끝은 악과惡果로 돌아온다는 인과응보因果應報의 윤리관을 내세운다.

    하지만 세상살이에서 착한 마음으로 좋은 인연을 맺었어도 그 결과가 나쁘게 나타나는 것을 예사로 볼 수 있다. 그래도 많은 사람들은 그런 일을 마뜩찮다 여기기보다는 우리 주위에서 일어나는 좋은 연분으로 이루어지는 많은 미담을 기리며,

제 일처럼 좋아하는 마음을 가지려 한다.

　나는 한 친구의 별난 인연의 이야기를 잊지 않고 되새기곤 한다. 언제 생각해도 잔잔한 감흥을 주기 때문이다.

　B는 대구에서 나와 같은 고등학교를 졸업한 친구이다. 그는 대학을 나와 어느 대기업에 입사했다. 활동적이고 능력이 뛰어나 승진도 남보다 빨랐다. 그가 그룹 안의 어느 회사 부산공장장으로 근무할 때의 일이다.

　어느 날 공장 안을 들러보다가 작업을 하고 있는 쉰 살이 가까운 듯한 한 직원이 눈에 들어왔다. 무척 낯익은 사람처럼 느껴졌으나, 자세히 뜯어봐도 잘 기억이 나지 않았다.

　사무실에 들어와 인사 기록을 보았다. 그는 신분이 보장되지 않는 비정규직이었다. 주소가 대구이고 붙어있는 사진을 보니 아는 사람이 틀림없었다. 아니, 오랜 해를 두고 잊을 수 없었던 사람이었다. 그는 B가 다닌 고등학교 근처에 있던 빵집 주인이었다.

　옛날 그와의 사이에 있었던 일들이 다시금 떠올라 감회에 젖게 했다. 그의 생활환경과 근무 태도 따위를 은밀히 알아보라고 한 직원에게 지시했다.

　"그는 다른 근로자들의 존경을 받고 있으며, 말없이 일하는 모범 사원이며 대학을 다니는 외아들의 학비를 벌기 위해 대구에서 혼자 부산에 내려와 셋방에서 자취를 하며 지낸다"는 보고였다. 여러 날을 두고 고심을 거듭한 끝에, 그를 정규 직원으로 발령해 줄 것을 본사에 특청했다. 온갖 까다로운 절차를 거쳐 어렵사리 승낙을 받아냈다. 또 나이 많은 사람이 이겨낼 수 있는 일자리로 옮겨 주었다. 정규 직원이 되어 봉급도 올랐고 사규에 따라 회사에서 아들의 학비 보조까지 받게 되었으니 큰 행운이 닥친 셈이다. 생각지도 못한 경사가 갑자기 불거진 연유를 그는 알 수 없었을 것이다.

1950년대 초 참 어렵고 배고팠던 때였다. 작은 도시락으로 점심을 때우고 늦은 하교 시간까지 견디기는 성장기의 또래들에겐 큰 시련이었다. 어느 날 수업이 끝나고 B는 한 친구와 같이 집에 가기 위해 교문을 벗어나 걷고 있었다. 그때 길가 빵 가게에서 뿌연 김을 뿜어내며 먹음직하게 익어가는 찐빵이 눈에 들어왔다. 아무래도 참을 수 없어 빈털터리인 두 사람은 무작정 빵집으로 들어갔다. 빵을 주문하여 정신없이 먹다가 허기를 좀 덜게 되자, 그제서야 걱정이 앞섰다. 이미 일은 저질러 놓은 것, 이심전심으로 도망치기로 마음먹었다. 주인의 동정을 살피다가 두 사람은 재빠르게 달아났다.

다음날 아침, 두 사람이 함께 등교를 하다가 교문 뒤에 숨어 기다리던 그 빵집 주인에게 잡히고 말았다.

"너희들 지금 선생님께 가서 벌을 받겠느냐, 아니면 오늘 안으로 빵 값을 갖고 오겠느냐"고 다그쳤다. 우선 그 순간을 모면하기 위해 학교가 파하는 시간까지 돈을 갖고 가겠다고 둘러대어 풀려났다. 하지만 그들이 돈을 마련한다는 것은 불가능했다. 빈손이지만 약속한 시간에 찾아가지 않을 수 없었다.

머리를 푹 숙이고 빵집에 들어선 그들은, 오늘은 돈을 구할 수 없으니 며칠만 더 겨를을 달라고 사정했다. 빵집 주인은 아무 말도 없이 그들을 자리에 앉히고, 큰 쟁반에 빵을 수북이 담아 내놓았다. 그리고 부드러운 말로 오늘뿐 아니라 어제 빵 값도 받지 않을 테니 실컷 먹으라고 했다. 두 사람이 주눅이 들어 먹지 못하고 있을 때, 그는 나지막한 목소리로 입을 열었다.

"어제 너희들이 빵을 먹고 있을 때, 나는 벌써 낌새를 챘었다. 도망칠 때 잡을 수 있었으나 잡지도 않았다. 만약 완력으로 잡았다면, 틀림없이 우리들은 영영 악연으로 끝을 맺었을 것이니 그것이 두려웠다. 나는 이 자리에서 오랫동안 빵 장사를 하면서 너희들과 같은 학생들을 수없이 겪었으나 오늘 너희들에게 한 것처럼 늘 똑같이 했었다. 나는 배운 것은 없지만, 남과 좋지 못한 일이 있으면 불안하고 좋은 인연을 만들면 마음이 편안하고 푸근하여 스스로 행복하다고 생각하며 어리석게(?)

살아왔다. 착한 인연을 만드는 것이 그렇게 어려운 것이 아니라고 생각한다. 남과의 사이에 내가 좀 참고, 내가 좀 손해보고, 내가 좀 져주는 것이 바로 그 길이라 생각한다"라고 말했다.

마치 어느 선각자의 말처럼 느껴지면서 두 사람의 고개를 숙여지게 만들었다. 그것은 어려움을 이겨가면서 세상을 착하게만 살아온 그 빵 장수가 고된 삶속에서 깨달은 생활 철학으로 일생을 두고 잊을 수 없는 가르침이 되었다고 한다.

은혜를 입었음에도 대수롭게 여기지 않고 곧 잊어버리는 수는 흔하다. 그러나 그의 품은 마음이 너무나 순박하고 가슴에 닿는 감동이 커서 쉽게 잊지 못하고 마음속에 담고 살아왔다고 한다. 그는 사람과 사람 사이에 사랑이 밑바탕이 되는 좋은 관계를 만드는 것이 세상을 살아가는 데 가장 값진 것이라는 이치를 몸소 행동을 통하여 가르쳐 준 참스승이었다.

그 뒤 B가 부하직원인 옛 빵 장수를 따로 만나 그때 이야기를 나누며 회포를 풀었는지, 어떠했는지는 듣지 못한 것 같다. 이런 때 그 사연을 끝내 알리지 않은 채 헤어지는 것이, 남모르게 심은 선근이 되어 그 아름다운 인연을 더욱 값지게 하는 것이 아닐까 생각해 본다.

(경맥문학 3, 2013)

비지의 난꾼

소백산으로부터 삭풍이 몰고 오는 추위가 기승을 떨친다. 위도 상으로는 서울보다 한참 남쪽이나, 고산지대인 탓으로 겨울철 수은주는 서울보다 오히려 더 내려간다. 그러나 매서운 추위도 계절의 섭리는 거역할 수 없는 것이라, 입춘이 지나고 우수를 맞으니 엄동의 맹위도 한풀 꺾였음을 느끼게 한다.

영주에 칩거한 지 4년에 가까우니 아쉬운 것이 한두 가지가 아니다. 그 중에서 가장 안타까운 것이 정든 난우蘭友들을 자주 대할 수 없고, 그들과 더불어 십여 년을 이어오던 채란採蘭을 할 수 없다는 것이다. 80년대 초부터 계속하여 오던 산채山採는 이루 헤아릴 수 없는 재미있는 추억을 엮어 나의 뇌리를 채워주고 있다.

휴일이면 거의 빠짐없이 배낭을 메고 부담 없는 난우들과 같이 새벽의 고속도로를 달려 남도의 자생지를 향했으나, 돌아올 때는 언제나 빈 배낭이었다.

무엇을 꼭 캐야 한다는 욕심은 내지 않음이 옳다. 순하게 이어져 있는 남도의 산줄기와 싱그러운 냄새를 싣고 불어오는 해풍이 너무나 좋다. 동양화의 한 폭처럼 소나무 숲이 있고, 그 아래 옹기종기 떨기를 이루어 흩어져 자라는 우리의 잘난 춘란을 살피노라면, 생활에 찌든 심신을 말끔히 씻을 수 있다.

그러나 소백산 아래 이곳에서는 그런 즐거움을 맛볼 수가 없으니, 그저 아파트 베란다에 놓고 기르는 나의 보잘 것 없는 애장란들을 살피는 것으로 낙을 삼을 수밖에 없는 신세가 되어 버렸다.

고려와 조선 시대에 특수한 군현郡縣 제도로서 월경지越境地라는 것이 있었다. 이것을 비지飛地라고도 일컬어 왔다. 갑군甲郡의 땅이 그 군의 구역 안에 있지 않고, 경계를 뛰어 넘어 을군乙郡의 땅 가운데 동떨어져 섬처럼 위치하여 있는 것을 말한다. 대동여지도를 보면 이 비지를 표시한 것이 마치 육지 속의 섬들처럼 보인다. 이러한 비지가 생성된 배경은, 지방 통치체제의

미비, 토착세력과 주민들의 이해관계 등이 서로 얽혀 이루어진 것이라고 보고 있다.

기록에 따르면, 조선 시대에 비지가 141곳에 이르렀다고 하니 그때 군현제도의 난맥상을 짐작할 수 있을 것 같다. 예를 들면 봉화군의 동북쪽에 있는 춘양이 얼토당토않게 160리나 떨어져 있는 안동의 속현이었다. 또 함경도 지방의 해변지대에는 본군으로부터 260리나 떨어진 속현도 있었다고 하니, 지금으로서는 이해하기 힘든 일이다.

우리 난을 사랑하는 사람들의 모임인 아란회我蘭會에 몸담은 지 15년인 내가, 이곳 난의 불모지 소백산 밑에 은둔하게 되었음에도 나는 결코 아란회를 버릴 수 없는 노릇이며, 영원한 아란회의 가족이다. 그러나 지금은 아란회의 본령인 서울에서 멀리 떨어져 있는 꼴이니, 이곳이 아란회의 비지이며, 외로이 비지에 와 있다는 생각을 해 본다.

이곳에 와서 나는 여러 차례 동해안의 산악지대에서 산채를 시도해 보았다. 제 버릇 뭐 못준다는 속담처럼 말이다. 강릉에서도 춘란이 발견되었다는데 그보다 훨씬 남쪽인 울진, 영덕

지방에 없을 수 있겠느냐 하는 부푼 기대를 하면서. 그러나 번 번이 민춘란 한 포기 발견하지 못하고 헛수고로 끝나고 말았다. 그때마다 지천으로 춘란이 널려 있는 호남지방의 자생지에서도 늘 헛걸음을 해온 위인이 운동 한 번 잘 한 것으로 생각해야지 하고 자위하곤 했었다.

  지난 2월 15일은 주말임에도 상경할 계획이 없었고 아내는 전북 고창군 부안면 소요산에 있는 소요사에 친구들과 기도하러 가고 없었다. 지난해 3월에도 우리 내외가 찾아간 적이 있는 사찰이다. 그곳에는 십여 년을 묵언수도默言修道하시는 금성 스님이라는 고승이 계신다. 십여 년을 말씀 한 마디 하시지 않았고 신도들과도 필담筆談을 할 뿐이었다. 불교에서 수도하는 방법 중 묵언수도가 가장 어려운 것이라고 한다. 나는 이 절호의 기회를 이용하여 배낭을 메고 지도책을 들고 동해안으로 향하였다. 승용차도 필요 없고 동행자도 귀찮았다. 시외버스를 이용하여 혼자서 가기로 하였다. 혼자뿐이니 토, 일요일 양일 간을 묵언수도하는 기분으로 말이다.

  평소 지나다니면서 보아두었던 영덕군의 신안이란 곳에 소나무 우거진 잘생긴 산을 훑어보기로 한 것이다. 그러나 마찬가지로 또 허탕을 치고 만 것이다. 두어 시간을 돌아다녀도 춘란이 자생하는 기미조차 찾지 못했다. 서해안 지방이면 춘란 명품이 나올 수 있는 잘생긴 산인데도 정말 안타까운 일이었다. 할 수 없이 그 산을 내려와 버스를 잡아타고 포항 쪽으로 더 남하하여 장사長沙라는 해수욕장 부근에서 일박하고 다음날 그 부근의 산을 살펴보기로 했다. 지도상으로 보아 서해안의 변산반도와 같은 위도 선상에 놓인 곳이니 그곳에는 틀림없이 춘란이 있겠지 하는 판단에서였다.

여름 한철 북새통을 이루었을 해수욕장 마을의 겨울은 황량하기 이를 데 없었다. 해변 가까이에 있는 여관에 들어가 바다가 보이는 방을 부탁하였더니 마음대로 방을 선택하라는 것이었다. 왜냐하면 스무 개가 넘는 방이 있지만 손님이 나밖에 없었기 때문이었다. 피로가 몰려와 일찍 잠이 들었다.

그러나 자정이 가까워서 잠에서 깨어나고 말았다. 여관 앞을 지나가고 있는 동해안 고속화도로의 자동차 소리와 파도 소리가 원흉이었다. 나는 옷을 걸치고 소주 한 잔 해야겠다는 생각에서 여관을 빠져나와 근처의 주점을 찾았다. 동행이 없이 혼자 하는 여행은 이래서 좋은 것이라 생각되었다. 항상 일거수

일투족에 완전 의견일치를 이루니 누구의 간섭을 받을 것인가. 그 주점에도 손님은 역시 나뿐이었다. 벽에 십여 가지의 안주 이름을 붙여 놓았으나 가격 표시는 없다. 바가지를 씌우기에는 참 좋은 방법이라 여겨져 혼자 웃었다. 몇 가지의 안주와 소주 를 주문하면서 가격을 물었더니 비철이라 여름 성수기 가격의 70% 세일이라고 믿지 않게 생긴 안주인이 웃으며 말한다. 산채 는 혼자 할 수 있으나 술은 혼자서 마시는 것이 모양새가 좋지 않은지라 안주인과 주방 아주머니까지 불러 놓고 소주 다섯 병 을 비웠다. 쉰 살이 훨씬 넘었을 듯한 주방 아주머니의 노래를 들어가면서 유쾌한 시간을 보냈다.

다음 날 아침 일찍 해변에서 4킬로미터 정도 들어가 있는 산 을 찾아 두 시간 이상을 살펴보았으나 전날에 이어 완전히 김 이 빠지고 말았다. 그러나 모든 것은 마음먹기에 달려 있는 것, 그곳도 역시 바닷바람이 있고 소나무의 짙은 향기가 있고 나의 심신을 감싸주는 산의 후덕한 손길이 있는 것이니, 그런대로 산채의 기분에 버금가는 맛을 느낄 수 있는 것으로 만족해야 했다.

다음 기회에는 확실히 춘란이 자생하고 있다는 경주, 울산

지방까지 남하하여 비지飛地 난꾼의 기개를 과시해야지라고 귀로의 버스 속에서 다짐해 보았다. 누구로부터 옮은 병인지 십여 년이 되어도 치료되지 않는 불치의 습성을 편작扁鵲이 열이라도 치유할 방법이 없을 듯하다. 차창으로 보이는 산골의 풍경이 벌써 봄으로 가는 길목에 선 듯 버드나무 가지가 한결 푸른빛을 더한 듯 보이나 아직은 성급한 생각이리라.

외로운 이틀간의 산행이 몰고 온 피로에 지쳐 졸음이 찾아든다. 공수래공수거空手來空手去라 했거니 빈 배낭이나 끌어안고 잠이나 자두어야지. (1997. 2.17.)

(경맥문학 4, 2014)

져 주는 마음

초등학교 삼 학년 때 일입니다. 수업이 끝나 쉬는 시간, 나와 한 친구는 교단 위 흑판에 낙서하며 놀았습니다. 하지만 기어이 일을 저지르고 말았습니다. 교탁 위에 놓인 화분을 떨어뜨려 결딴내 버렸습니다.

다시 공부 시간이 되어 교실에 들어오신 선생님이, 깨진 화분을 보시고 크게 노하셨습니다.

혐의쩍은 사람은 교단 위에서 놀던 두 사람이 될 수밖에 없었습니다. 그 친구는 발뺌을 했습니다. 그의 팔꿈치가 교탁을 밀쳐 화분이 떨어지는 것을, 분명히 보았는데도, 빼난 말솜씨를 당해낼 수 없었습니다.

아무 변명도 제대로 못하는 내가 덤터기를 쓰고, 교실 구석에 팔을 뻗고 꿇어앉는 벌을 받게 되었습니다. 분하고 그가 원망스러웠으나 나도 같이 장난을 쳤으니 그냥 참기로 했습니다.

조금 이따가 그 친구가 제자리에서 부스스 일어나, 고개를 숙인 채 나의 옆으로 나와, 팔을 뻗고 꿇어앉았습니다. 그리고 나에게 자리로 들어가라며 옆구리를 밀었습니다.

그것을 보신 선생님은 우리를 일으켜 세우시고, 환하게 웃으시며 두 사람을 꼭 껴안아 주셨습니다. 하지만 아무 말씀은 없으셨습니다. 세월이 많이 흘러 늙마에 이른 지금, 생각해 보면 참 느끼는 것이 많고, 잔잔한 감동을 안겨줍니다.

지금은 어디서 무엇을 하는지 알 수 없는 그 친구는, 내처 그대로 있었으면 그냥 넘어갈 수 있는 일을, 양심의 무게를 견디다 못해, 스스로 회초리를 치는 용기를 보여 주었습니다.

얼핏 보면, 남을 대신하여 벌을 받는 내가 어리석은 듯해 보이지만, 어린 나이에도 남에게 져 주는 마음, 남의 허물을 떠안는 마음이 있었던 것 같아, 마음이 흐뭇해집니다.

우리들이 대견스러워 사랑의 포옹을 해 주신 선생님은, 긴 말씀보다 더한 가르침을 모두에게 안겨 주셨습니다.

지금의 나는 어린 그때보다, 얼마나 나은 사람이 되었는지, 곰곰이 생각해 보면, 너무나 부끄럽기만 합니다.

또 자신을 위해서는, 한 치의 양보도 없는 사람들, 제 잘못을 번히 알면서도, 허물을 벗어나 보려고 온갖 잔꾀를 부리는 요즘 사람들과 견주어 볼 만한 이야기라고 생각합니다.

(경맥문학 5, 2015)

창 안에 갇힌 새

　이름 모를 작은 새 한 마리가, 아파트 출입문 안에 갇혀 있었다. 비밀번호를 눌러 열 수 있는 문 안에, 어떻게 날아들었는지 모를 일이다.

　서너 평 남짓한 공간을 이리저리 날며 벗어나려는 안쓰러운 몸부림이 얼마나 이어졌을까.

　안으로 들어서자, 또 나를 피하여 마지막 힘을 쏟다가 구석에 처박혀 파닥거린다. 두 손으로 고이 잡아 쥐자, 가냘픈 몸피로 버거운 힘을 쓴 탓에 몸뚱이가 뜨겁다.

　날려 보내려고 밖으로 나서자, 근처 나무 위에서 안달하며 지저귀던 한 쌍의 자웅인 듯한 다른 새 한 마리가, 나의 근방을 가까이 날며 쪼아댈 듯 덤빈다.

그 새 또한 창 안에 갇혀 벗어나지 못하는 그의 짝을 지켜보며 얼마나 애간장을 태웠을까.

놓아주자 댓바람에 날아가 버린다. 산란기인 이른 봄, 둥지로 찾아가 알을 낳아 새끼 깔 채비를 해야 할 테지.

새 무리의 금실이 인간에 진배없음을 느껴 보는 정경이었다.

누구의 손에 의해서도 끝내는 풀려났겠지만, 나에게 연분이 닿았음은 분명히 흐뭇한 일이었다.

지칠 대로 지친 몸뚱이에서 어찌 그런 힘이 생겨났는지, 공중으로 힘껏 날아가는 그 한 쌍의 새 모습이 오래도록 눈에 어리어 지워지지 않았다.

(경맥문학 6, 2016)

붓 가는 대로 쓴 글

III

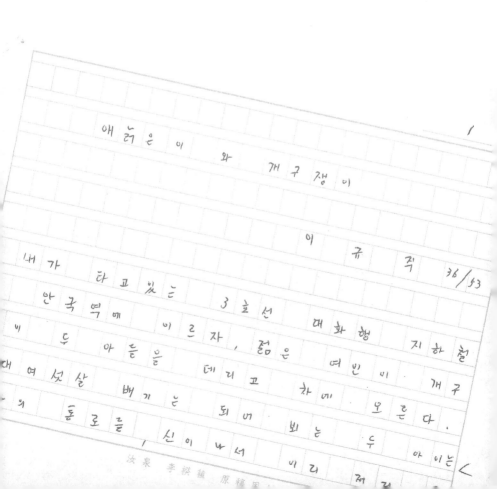

애늙은이 와 개구쟁이

이 규 직 76/53

내가 타고 있는 3호선 대화행 지하철 안국역에 이르자, 젊은 여인이 개구 비두 아들을 데리고 차에 오른다. 대 여섯살 배기는 되어 뵈는 두 아이는 기 통로를 신이 나서 이리 저리

목숨을 건 우정

　여러 갈래의 친구들 가운데, 시골 초등학교 동창보다 더 정겨운 이도 없을 듯하다. 거의가 한 마을이거나 이웃 마을에서 자라나, 서로의 사정을 속속들이 알고 있어, 어떠한 흉허물도 티가 될 것이 없다. 그래서 이들의 우정은 늘그막까지 끈덕지게 이어지기 예사이다.

　최 형과 정 형은 내가 자란 시골 마을의 대선배다. 두 분은 그곳 초등학교를 한 해에 졸업했고 그 가운데서도 남달리 가까운 사이였다. 그러나 자라난 환경은 많이 달랐다. 최 형은 그의 아버지가 기독교 장로며, 장사와 농사를 크게 하는, 면내에서 몇 손가락 안에 드는 부자였으나, 정 형은 홀어머니 밑에서 어렵게 자랐다.

지방에서 중학까지 마친 두 사람은 서울로 올라가 대학에 진학했다. 최 형은 명문 Y대에 입학했으나, 정 형은 고학을 하며 야간대학을 다녔다.

광복 후 이념과 사상의 갈등으로 큰 혼란을 겪던 때, 이들도 그 길이 갈렸다. 최 형은 학도호국단 간부로서 우익의 편에 섰고, 정 형은 좌익으로 활동했다. 그러나 두 사람의 우정은 조금도 변하지 않고 늘 만나 가까이 지냈다.

6·25 전란 때, 정 형은 인민군에 입대하여 싸우다가 월북하였고, 최 형은 휴전 후 공무원이 되어 정부의 어느 부처 국장까지 지내고 퇴임했다.

1990년 봄에 있었던 일이다. 최 형이 나에게 전화를 했다. 할 이야기가 있으니 정 형의 여동생인 인자와 세 사람이 만나자는 것이었다.

나는 어렵사리 연락을 하여, 시간과 장소를 정하였다. 세 사람은 강남 신사동의 R호텔에서 자리를 같이 하게 되었다.

두 사람을 앞에 두고 최 형은 심각한 표정으로 무거운 말문을 열었다.

그의 나이가 노년이 되어, 언제 죽을지도 모르는 일이고, 통일도 언제 될지 요원한 일이니 인자에게 꼭 남길 이야기가 있어서 자리를 마련했다고 했다.

아무리 친구의 여동생이지만 유부녀인 인자만을 만나 이야
기하기 뭣하여 나를 합석시켰다는 것이었다.

6·25 전쟁이 터졌으나 최 형은 어쩌다가 서울을 빠져 나가지
못했다. 신촌에 있는 자기 집에 숨어 바깥출입을 못했다. 다행
히 시골서 보내 온 양식은 충분해, 밥과 된장으로 끼니를 이어
가며, 공포 속에 지냈다.

그러던 어느 날 인민군과 동네의 적색분자들이 최 형의 집
을 급습하였고, 최형은 다락방에 숨어 있다가 잡히게 되었다.
그는 Y대 교정으로 끌려갔다. 그곳에는 수백 명의 젊은이들이
먼저 잡혀와 있었다. 총을 멘 인민군과 사복에 붉은 완장을 찬
청년들이 이들을 둘러싸고 감시하고 있었다.

그 많은 사람들은, 의용군으로 보내지기 위해 잡혀 온 것이
다. 그는 암담한 심정으로 모든 것을 자포자기하고 말았다.

그 때 실의에 찬 그의 시야에 인민군 한 사람의 뒷모습이 들
어왔다. 퍽이나 눈에 익다고 생각되었다. 돌아서는 것을 보니
정 형이었다. 반가움을 주체 못하고 엉겁결에 그의 이름을 큰
소리로 불렀다. 아무 반응이 없자 두 번 세 번 거듭 외쳤다. 그
는 소리 나는 쪽을 돌아보았고, 서로 눈이 마주쳤다. 찔끔 놀

란 표정을 짓다가 곧 못 본 체했다.

최 형은 크게 낭패를 당한 심정이 들어 망연자실茫然自失했다.

잠시 후에 정 형은 제일 앞쪽에서 총지휘를 하는 책임자인 듯한 인민군 군관 앞으로 걸어가더니, 한참 동안 무슨 말을 열심히 주고받았다. 이야기를 마친 그는 최 형이 있는 쪽으로 걸어오더니, 살기등등殺氣騰騰하여 멱살을 잡아 대열에서 끌어냈다. 그리고 끈으로 포박을 했다.

"이 놈은 악질 지주의 아들로서 농민들을 착취하였고, Y대학도호국단 간부 노릇을 한 용서 못할 반동이다. 민족 해방전선에 참여할 자격이 없는 놈이므로, 인민재판에 넘겨 즉결처분을 해야 한다"고 여러 사람이 들으란 듯이 큰 소리로 외치면서 뺨과 온몸을 마구 때렸다.

그순간 최 형은 하늘이 무너지는 듯한 비통함을 느꼈고, 이 친구가 이렇게나 변할 수 있을까 싶은 생각이 들어 엉엉 울었다. 최 형은 그에게 끌려 교문 밖으로 나갔다. 교문을 벗어나 얼마를 가다가, 정 형은 "얘야 정말 미안하다. 많이 놀랐었지. 너를 총알받이에서 살릴 수 있는 방법은 이 길 밖에 없었어" 하면서 눈물을 흘렸다. 그는 최 형을 신촌 집까지 데려다 주고 되돌아갔다.

그 후 최 형은 9·28 서울 수복 때까지 그 집에 숨어 지낼 수밖에 없었다. 서울에 국군이 들어왔으나, 아직 인민군도 남아 있어 치안이 불안할 때였다. 그러던 어느 날 밤 대문 두드리는 소리가 들렸다. 놀란 그는 집을 빠져나와 뒤란 후미진 곳에 숨었다. 한 번 겪었던 악몽이 되살아나 두려움에 떨었다. 누군가가 대문을 부수거나 담을 넘어 들어오면 도망할 채비를 했다.

대문 두드리는 소리가 거세지더니 마침내 큰 소리로 자기 이름을 불렀다.

이름 부르는 소리가 계속되었고, 자세히 들으니 귀에 익은 목소리였다. 뛰어나가 대문을 열어보니 그곳에 정 형이 서 있었다. 군복은 남루하고, 얼굴은 초췌하고, 다리를 다쳐 절고 있었다.

집으로 들어가자마자 배가 고프니 밥을 달라고 했다. 먹다 남은 식은 밥을 우선 차려주고, 쌀을 씻어 냄비에 더 안쳤다. 온몸에 악취가 풍겨 큰 솥에 물을 데워 몸을 씻도록 했다.

밤늦도록 정 형을 설득했다. 자수를 하면 가혹한 처벌은 없을 것이니 지난날을 청산하고 떳떳하게 같이 살자고 했지만 그의 뜻은 완강했다. 비뚤어진 생각을 돌이킬 수 없음을 알고 포기할 수밖에 없었다.

새벽 무렵, 정해진 장소에서 일행들이 만나 산길을 따라 월북한다는 것이었다.

옷을 사복으로 갈아입히고, 배낭에 식량과 내복을 넣어주고, 돈도 있는 대로 털어주었다.

한 치 앞을 내다볼 수 없는, 암흑의 길로 다리를 저는 친구를 떠나보내는 슬픔에 두 사람은 끌어안고 오열했다.

설익은 사상에 눈이 멀어 혈육 간에도 피를 흘렸던 그때, 이들의 우정은 너무나 고귀한 것이었다. 목숨을 앗아갈 수 있는 위험도 아랑곳하지 않았고 인간이 만든 법도 뛰어넘은, 오직 우정이란 인간의 원초적 본능만이 존재할 뿐이었다. 최 형은 하마터면 묻혀버릴 수 있었던 진한 우정의 이야기를 남겨 주셨다.

정 형의 그 후 소식은 알 수 없고, 슬프면서도 아리따운 이야기를 유언처럼 일러주신 최 형도 몇 년 전 세상을 뜨셨다. 정 형의 여동생 또한 세상을 떠났다.

이젠 이 땅에서 이 이야기를 아는 사람은 나밖에 없게 되었다.

지난 여름 고향에 갔을 때, 두 형의 추억이 깃든 곳을 찾아보았다.

정 형의 집은 허물어져 빈터만 남았고, 최 형의 집은 새로 지어져 다른 사람이 살고 있었다. 그 옛날 두 형과 그의 친구들이 참외 서리를 할 때 꼬마였던 나도 따라 가서 망을 봐주던 곳을 찾아봤다. 다른 작물이 심어져 있었지만 그때 그 밭은 옛날 그대로의 모습이었다. 밭에서 얼마 떨어진 곳에 낙동강은 아무 일 없었던 듯이 옛날처럼 흐르고 있었다. 지난 날 형들과 우리 또래들이 했던 것처럼 지금의 하동夏童들이 자맥질을 하며 물놀이를 즐기고 있었다.

우리들이 저질러 놓은 역사는 저 강물처럼 흘러가 버리고 또 다른 역사가 저들의 손에 의해 이루어지리라. 저들이 엮어 놓을 이야기에는 슬픔이 가신 평화로움만이 있기를 간절히 빌어 보았다.

* 덧붙이는 글

본고에서 '최 형'이라 지칭한 분은 우리의 대선배님이시기에 여기에 실명을 밝힌다.

고 최기연崔基然 선배님은 독실한 기독교 집안에서 태어나

- 경북중학교(6년제) 30회 졸업
- 연희대학교 정치외교학과 졸업
- 국회 참의원 사무처 총무과장
- 국세청 총무과장, 광주·부산·대구지방 국세청장
- 국세청 기획관리관, 징세심사국장, 조사국장 등 역임
- 2001. 5. 27. 소천

(경맥문학 8, 2018)

애늙은이와 개구쟁이

내가 타고 있는 3호선 대화행 지하철이 안국역에 이르자, 젊은 여인이 개구쟁이 두 아들을 데리고 차에 오른다.

대여섯 살 배기는 되어 뵈는 두 아이는 객차의 통로를, 신이 나서 이리저리 뛰어 다닌다. 여인은 다른 승객들에게 폐를 끼치는 것이 민망하여, 아이들의 이름을 부르며 붙잡으려 하지만 막무가내였다.

그때 좌석에 앉아 있던 대학생 두 사람이 자리에서 일어나, 아이들을 붙잡아 자기들이 앉아 있던 자리에 그의 어머니와 함께 앉혔다.

모든 승객들이 흐뭇한 표정으로 지켜보고 있었다.

두 아이의 천진난만한 귀여운 모습과 대학생들의 행동에 대견한 느낌을 받은 것이리라.

　나의 고향 마을은 동성동본의 집성촌이었다. 다른 성씨는 몇 집 안 되고, 이백여 호가 모여 살고 있었다. 조선조 중종 때 16대 조부 삼 형제 분이 기묘사화己卯士禍를 피하여 유향儒鄕 안동安東으로 낙향하여 5백 년을 세거世居하면서 자손들이 늘어난 것이다.

　유교적인 사고가 몸에 배어있는 어른들의 가르침은 어릴 때부터 행동을 제약하여 애늙은이로 만들어 놓았다. 장난이 심하고 경망스럽게 나대는 애들을 보시고는 어르신들은 걱정스러워하셨다.

　"세 살 버릇이 여든까지 간다"는 속담이 이르듯이, 어릴 때부터 예의범절을 익혀야 일생을 인간답게 살 수 있다는 신념이 깊어서였을 것이다.

　"길을 걷다가 어르신과 마주치면, 더욱 속도를 줄이고, 댓 걸음 정도 앞에 이르러서는 길섶으로 비켜섰다가, 가까이 오시면 두 손을 모으고 절을 하여라", 또 "동네 안길에서는 뛰어다니지 말고 천천히 걸어라"는 등 여러 가지 예절을 귀가 닳도록 들으면서 자랐다.

내가 영주에서 세무회계사무소를 운영하고 있을 때, 주말이면 상경했다. 그때 나는 신도시 일산의 아파트에 살고 있었고, 주말에 올라왔을 때는 이른 아침에 늘 그곳에 있는 정발산에 올랐다. 별로 높지 않은 야산이라 가벼운 운동으로는 제격이었다.

김대중 대통령께서도 야인으로 계실 때 정발산 아래에 거주하셨다. 어느 해 봄날 상경하여 이른 아침 정발산 등산을 마치고 집에 돌아가기 위해 김 대통령의 집 앞길로 걸어가는데, 대문이 열리며 경호원 두 사람이 앞서고 뒤에 김 대통령이 나오시고, 이희호 여사님이 반려견을 몰고 뒤따르고 있었다.

나는 가까이 갔을 때 길섶으로 비켜서서, 등산모를 벗고 공손히 인사를 올렸다. 김 대통령은 악수를 청하시며 "참 오랜만에 옛 예절을 접하는군요"라고 말씀하시고, 영남 사투리를 쓰는 나를 의식하셨던지, 고향이 어딘가를 물으셨다. 경북 안동이라 말씀드렸더니, "과연 예절의 고향 출신이라 다르군요"라고 하시면서 흐뭇한 표정을 지으셨다.

나라의 큰 지도자로부터 칭찬을 들었지만, 평소에 그런 낡은 예법이 꼭 옳다고만 생각지 않았다. 유교적인 사고와 예법들은 개화를 늦추어, 세계적인 후진국의 나락에 빠뜨렸다고 생각한다. 쇄국의 담벽을 일찍 무너뜨리고, 나라 밖의 세계를 알고 교류가 있었다면, 근대화의 길을 앞당겼을지도 모를 일이다.

몇 년 전 북유럽 관광 여행을 갔을 때, 핀란드에서 그 나라의 대표적인 작곡가 시벨리우스를 기념하기 위해 조성한 시벨리우스 공원을 구경했다.

그곳에서 유치원 선생님이 어린이들을 이끌고, 현장 교육을 나온 모습을 보았다. 선생님이 이끄는 대로 노란색 끈을 잡고, 흐트러짐이 없이 한 줄로 말없이 따르는 어린이들의 모습이 신기해 보였다. 그 나라의 수도 헬싱키에서도, 어린이들이 선생님이 이끄는 줄을 잡고 일렬로 걷는 광경을 곳곳에서 쉽게 볼 수 있었다.

핀란드는 팔백 년 동안 외국의 지배를 받아온 나라다. 일제 때 초등학교를 다닌 나로서는 느끼는 바가 많았다. 아침 등교할 때는 마을 단위로 한 줄로 열을 지어 교문을 들어서야 했다. 또 교외에 나갈 때도, 선생님을 따라 대오를 맞추어 군대식으로 걸었다.

오늘날 핀란드 어린이들도, 8세기 동안 그들의 조상들이 겪어왔던, 옛 유습遺習에 몰래 물든 것이 아닌지 씁쓸한 생각이 들었다.

어린이는 어린이답게 살아야 하고, 어른은 어른답게 사는 것이, 자연의 순리이다. 어린이 때부터 예법과 규율에 가두어, 기를 펴지 못하고 자라게 하는 것은, 창의력을 막고 자립하는 심성을 저해하여 늘품성 없는 인간으로 만드는 일이라 생각한다.

어린이는 성인이 되는 전단계이다. 즐겁고 활달하게 마음껏 뛰놀고 자라게 해야 한다. 첫 단계부터 완벽한 인간으로 만들려는 노력은 어른들의 성급한 과욕이다. 식물을 빨리 자라게 하기 위해 과다한 시비施肥를 하여 망쳐버리는 것에 비유한다는 것은 너무 지나친 표현일지 모를 일이지만, 전연 그릇된 생각은 아닐 듯하다.

요즈음 서울에 있는 고등학교 동기동창 십여 명은, 주말이면 과천에 있는 서울대공원 둘레길을 걷는다. 늙은이들의 운동으로는 더없이 좋고, 옛 학창시절 이야기도 나누며 즐거운 시간을 갖는다. 서울대공원에서도 유치원 어린이들이 야외교육을 나온 광경을 볼 수 있었다.

선생님을 따라 나온 어린이들이 대열을 벗어나 장난을 하고, 종알종알 떠들어대는 모습을 볼 수 있었다. 핀란드와는 대조되는 모습이었고, 참 귀엽고 사랑스런 우리 어린이들의 발랄한 모습이 마음을 흐뭇하게 하였다.

(경맥문학 11, 2021)

그림자

　내가 코흘리개로 자라나던 곳에는, 삼월이면 진달래꽃이 흐
드러지게 피고, 오월에는 찔레꽃이 향기를 뱉어내며 산기슭을
하얗게 덮었습니다.

　그 향내를 헤치고 찔레가 연초록 토실한 새순을 내밀고 있었
습니다.

　뒷산에는 뻐꾸기가 피를 토할 듯 울어대고, 앞 들에는 보리
밭 이랑이 삼단 같은 머리를 풀고 물결처럼 일렁이며, 줄을 서
있었습니다. 하지만 풋바심하기에는 아직도 멀기만 한 배고픈
때였습니다.

　찌든 가난에 지쳐, 강아지처럼 팽개쳐졌던 천덕꾸러기들, 먹
을 것이 없어 입술이 시퍼렇게 되도록 꽃을 따 먹었습니다. 이

빨에 초록물이 들도록 찔레를 꺾어 먹었습니다.

송기松肌를 벗기고, 잔대도 캐고, 먹을 수 있는 것은 가리지 않고 다 먹어 치우는 강아지였습니다.

진달래꽃 따 먹고, 찔레 꺾어 먹던 고달팠던 고갯길에는, 큰 길이 뚫렸습니다. 깨끗이 포장까지 되었습니다.

고갯마루에 쓰러질 듯 서 있던 성황당은 새마을운동 때 사라졌습니다.

참 신통한 일입니다. 그때 그 강아지의 새끼들은 강아지로 태어나지 않았습니다.

시원하게 뚫린 길에는 고향 찾은 그들이 차를 몰며 뽐내고 있습니다. 참 잘 생기고 귀티 나는 아이들입니다.

지금도 봄이 오면 그곳에는, 뻐꾸기 옛날처럼 울고, 진달래 찔레꽃이 피어나고, 찔레 순이 탐스럽게 돋아납니다. 그러나 그것을 먹을 강아지는 없어졌습니다.

그때 그 보리밭에는 씨앗도 뿌려지지 않았고, 땅을 보러 오는 외지 사람들의 발걸음이 잦습니다.

옛 강아지의 새끼들은 그들이 강아지의 자식이란 것을 모릅니다. 그런 이야기는 끔찍하여 알려 하지도 않습니다.

네 애비들이 강아지처럼 살면서, 손이 닳도록 일했노라고 말해 봤자, 듣는 아이들이 없습니다.

그저 좋은 세월 만난 저들이 잘난 덕분이라 여깁니다. 그러나 남이 피땀 흘려 이룩한 공을 애써 폄하하는 비뚤어진 사람들보다는 훨씬 귀여운 아이들입니다.

조상이 이곳에서 어떤 일을 했는가, 어떻게 살았는가에 대한 흔적이나 자취는 아랑곳하지 않고, 그들이 남긴 그림자에는 조금도 관심이 없습니다. 애비들이 뼈 빠지게 일하던 농토, 그 땅값이 올라가서 그저 신이 날 뿐입니다.

늙고 병든 옛 강아지들만이 지난날을 이야기하며, 그래도 살기 좋은 세상이 되었다고, 고마워하는 마음으로 고향을 그림자처럼 지키고 있습니다.

병자소 앞에서

    한 해가 가고 다시 새해를 맞이하는 때가 되면 여느 때와 다른 감회에 젖는 것은 누구에게나 마찬가지일 것이다. 지난 한 해를 되돌아보고 나에게 늘 도움을 주신 여러 선배들과 벗들도 다시 한 번 생각하게 되고 지난해에 모자라고 아쉬웠던 일들을 부끄러워하고 후회를 하는 시간도 갖게 될 것이다.

    옛날과 달리 사회가 복잡하게 되고 생업을 위해 부지런히 뛰어다니다 보면 가깝게 지내던 많은 벗들과도 몇 년이 지나도록 상면할 수도 없고 전화나 서신을 통하여서도 서로 안신安信을 전하지 못하는 것이 다반사로 되고 말았다. "도시 생활을 하다가 보면 으레히 그런 거지, 뭐" 하고 자위할 수도 있는 일이지만 세상이 점점 삭막해지고 인정이 실종되는 것 같아서 씁쓸한 생각이 든다.

그래서 나는 새해가 되면 꼭 연하장을 내고 있다. 올해에도 거금을 들여서 천오백 장을 띄웠다. 내가 정치에 뜻을 두어 표를 관리하기 위해서도 아니고 단지 흉허물 없이 지내던 벗들과 나를 항상 돌봐 주시던 선배, 그리고 후배들에게 일 년에 단 한 번이나마 "나는 잘 있소. 사는 곳과 전화번호는 봉투에 적힌 대로요. 당신에게 축복이 있기 바라며, 자주 연락이나 합시다"라는 뜻이 담긴 최소한의 인사인 것이다.

금년에도 예외 없이 연하장을 보내기 위해 봉투를 쓰는 작업이 11월 하순부터 시작되었다. 직원들을 시켜서 타자를 치는 것이 어쩐지 인정이 덜 실리는 것 같아서 일일이 피봉을 꼬박꼬박 써야 하기 때문이다. 올 정초에는 정말 값진 연하장을 받았다. 추전秋田 김화수金禾洙 화백이 난화蘭畵 한 폭을 보내주었다. 화제畵題에 이르기를, '불구문달不求聞達 물외초연物外超然'이라고 하였다. '영달에 집착하지 말며 물질에 초연하라'는 뜻으로, 불타佛陀의 높은 뜻과 맥을 같이 하는 경구가 가슴에 와 닿는 감동이 컸다. 그의 난 그림은 조금은 투박하게 처리한 듯한 느낌을 주면서도 난의 유연한 엽자葉姿를 생명력 있게 표현하고 있어 과연 난화도 난을 직접 가꾸는 분이 그려야 산 그림이 될 수 있다는 것을 보여주고 있다.

취생몽사醉生夢死라는 말이 있듯이 한 생을 아무 하는 일 없이 헛되게 보내는 듯하여 회한이 한량없건만 벌써 올해로 나는 갑년을 맞이하게 되었다. 병자생인 내가 병자년을 맞는 감상이 무어라 할 수 없이 착잡하기만 하다. 나는 나의 생년과 같은 이름을 가진 중국 춘란 병자소丙子素를 갖고 싶어 1986년에 금강난원 박헌구 사장에게 특청을 하여 일본에서 한 분을 들여왔다.

중국 춘란 중에서도 값싼 품종이지만 워낙 오래된 고전품이어서 난서에도 별로 소개된 것이 없고 국내에서는 소장하고 있는 분이 그리 많지 않다고 한다. 동양란의 사전(?)격인 매란방의 홍승표 사장도 병자소에 대한 설명만은 좀 궁색할 정도이다.

중국 춘란 소심素心 중에서 제일 화판이 큰 대륜大輪이고 향기가 좋다는 설명 외에는 병자소의 내력이나 또 다른 이야기들에 대해서 상세한 설명을 못하고 있었다.

워낙 난 가꾸기에는 시끄럽기만 하였지 실제로는 별 재주가 없는 나인지라 십 년을 가꾸어도 분수는 두어 분으로 늘어났으나 어쩐지 꽃을 여태까지 피워 보지는 못하였다. 그런데 그 기다리던 병자소가 자기의 갑년을 나는 것인지 아니면 나의 회갑을 축하하기 위함인지 금년에는 건강한 꽃망울 네 대를 내어 밀더니 설날이 지나자 개화를 하였다. 대륜소심大輪素心의 깨끗한 모습에 청향이 어우러져 나의 난실을 가득 채우고 만 것이다. 역시 춘란이라면 중국 춘란이 으뜸이라는 생각을 다시 한 번 하게 되었고 향기조차 없는 우리 춘란과 일본의 그것을 한스럽게 생각하는 마음을 씻을 수가 없게 되었다. 동양란의 종주국은 역시 중국이고 난 재배의 역사가 3천 년에 이른다.

그러나 중국에서도 우리가 지금 난이라 하여 기르는 심비디움Cymbidium의 재배는 10세기경부터인 것으로 알려져 있으며 그 이전에는 국화과 식물인 향등골나물을 난이라 하였다고 한다. 향등골나물은 잎과 꽃에서 많은 향기가 나는 식물로서 액을 몰아낸다는 속설이 있으며, 짙은 향내로 인하여 벌레를 쫓는 데도 쓰였고 연인들끼리 구애의 선물로도 이용되었다고 한다. 또한 목욕물에 넣어서 향수를 만들어 목욕을 하기도 하고 음식을 조리하는 데 향료로 사용하기도 했다는 기록이 있다. 난에 대한 가장 오래된 기록은 공자의 시경詩經이다.

그러나 그 당시의 난은 이 향등골나물이었을 것으로 여겨진다. 심비디움 속에 드는 오늘의 난을 기른 것은 송대 때부터인 것으로 추측되고 우리나라에는 고려 후기로 접어들면서 원나라와의 왕래가 빈번하여짐에 따라 대륙의 난을 가져와서 가꾸고 즐기는 일이 생겨났다고 보고 있다.

이러한 중국 난을 가꾸다 보니 우리나라에도 춘란이 있지 않을까 하는 생각을 갖게 되었을 것이고, 난을 좋아하는 사람들의 궁금증을 불러일으켜 이것을 찾는 노력이 시작되었을 것으로 보여진다. 우리나라 자생란에 대한 기록은 조선조 초기에 간행된 『신증동국여지승람新增東國輿地勝覽』에 경상도 함양咸陽 남쪽 15리 되는 곳에 위치한 화장산花長山에 난이 많다고 쓰여 있다.

그러나 그 당시의 애란인들이 우리 난을 발견하였으나 잎 매무새나 윤기, 그리고 꽃 모양 등은 중국 난보다 월등히 돋보이지만 향기가 없음을 알고는 얼마나 큰 실망을 하였을 것인가 능히 짐작하고도 남음이 있다. 이러한 사실은 조선 초의 강희안姜希顔의 『양화소록養花小錄』에서 찾아볼 수 있다. 강희안은 우리 자생란에 대하여 관심이 높았던 분이다. 그는 저서 『양화소록』에서 춘란의 꽃을 심자深紫, 담자淡紫, 진홍, 담홍, 황란, 백란, 벽란, 녹란, 어타魚鮀, 금전金錢으로 분류하고, 중국의 옛 기록을 소개하면서 재배법을 설명하고 있다. 여기에서 색화를 분류하면서 조금 생소한 감을 주는 어타와 금전이라는 어구를 쓰고 있다.

어타는 민물고기인 '모래무지'를 말함이며 금전은 금화金貨의 다른 표현이니 이것들은 아마 주금색朱金色을 이른 것으로 생각되어진다. 또 그는 "우리나라에는 난의 종류가 그리 많지 않다. 분에 옮긴 뒤에 잎이 점점 짧아지고 향기도 좋지 않아 국향國香의 뜻을 아주 잃고 있다. 그러므로 꽃을 보는 사람들이 심히 탐탁하게 여기지 않는다. 그러나 호남 연해의 산에서 나는 것은 품종이 아름답다"라고 하여 자생란에 대한 관심을 표하고 있다.

이 『양화소록』의 내용을 보면, 오늘날 우리나라의 난인들을 생각하게 된다. 난의 생명은 뭐니 뭐니 해도 향이다. 그러나 우리나라 춘란에는 그것이 없으니 어떻게 하랴. 그래서 향이 없는 대신 우리 난 중에서 원예성이 있는 잎무늬종을 개발하고 꽃의 색깔을 따라 아름다운 색화를 개발하여 우리나라 난의 모자라는 부분을 덮고 그들의 난에 필적할 수 있도록 노력을 하고 있는 것이 아니겠는가. 그러나 난을 사군자의 하나로 숭상하여 예로부터 사대부들이 애배愛培하여 왔던 것은 잎에 든 무늬 때문도 아니고 꽃의 색깔 때문도 아니리라 생각된다.

난의 유연한 잎의 곡선미와 이른 봄 다른 꽃이 없을 때 단아한 모습으로 나타나 필설로 형용할 수 없는 청향을 쏟아놓는 데서 그의 고결하고 뛰어난 품성을 높이 샀기 때문이라 생각된다. 아무리 잎 무늬가 좋은 난을 개발하고 색화를 찾아내어 떠들어댄다고 하여도 향기 없는 난은 얼굴은 아름다우나 어린애를 잉태하지 못하는 석녀라고 비유해 버린다면 너무 지나친 표현이며 아집에 흐른 것이라 할 수 있을지 모르겠다.

그러나 나는 값비싼 우리 춘란의 변이종을 갖지 못하고 있기 때문에 할 수 없는 노릇이긴 하지만 중국 춘란이 좋다. 애지중지하여 기르지 않아도 잘 자라고 병충해에도 강하며 해마다 화려하지는 않으나 취록색翠綠色의 소박한 꽃을 피워 가난한 나의 생활공간에 청향을 가득 채워 주니 그 무엇을 더 바라겠는가.

나는 지금 청향을 풍기는 병자소를 추전秋田의 난화가 걸린 바로 앞 탁자 위에 올려놓고 모든 시름을 잊은 채 삼매경에 몰입하여 '불구문달不求聞達 물외초연物外超然'의 깊은 뜻을 되씹어 본다.

내방가사 『사향별곡 화수가』

저자 이백한 여사(1910~1996)는 안동시 풍산읍 상리(우렁골)에서 예안 이씨 21세손 이회종李會種 님과 진성 이씨 사이에서 태어난 2남 1녀 중 막내로서, 안동시 풍천면 월애리 청송 심씨 현령공 22세손 심규순沈揆舜 님과 혼인하여, 슬하에 7남매와 친·외손 17명을 두시고, 다복하게 사시다가 86세에 영면하셨다.

전통적인 유가에서 성장하여, 일찍부터 국문은 물론 부친으로부터 엄격한 규방 예절과 한학을 배웠다. 재주가 뛰어나서 여자로 태어난 것이 아쉽다는 주위의 말을 듣기도 했었다.

이백한 여사는 출가한 후, 일생을 지필묵을 놓지 않고, 수많은 내방가사內房歌辭, 국문 제문, 내간문內簡文 등을 남겼다. 남긴 글의 양이 워낙 많아 전부 출판에 옮길 수 없어, 장남인 심우영(전 경북지사, 대통령 행정수석, 총무처 장관)이 내방가사 수편과 제문 등을 골라서, 『사향별곡思鄕別曲 화수가花樹歌』라는 이름으로 책을 펴냈다. 이 가사집이 출간됨으로써, 친정 큰오빠 연정研庭 이준영 님의 연정문집研庭文集, 둘째 오빠 백농伯農 이준길 님의 한문시집 백농시고伯農詩稿가 발간된 바 있으니, 삼 남매가 모두 문집을 출간한 드문 사례를 남겼다.

장남 심우영沈宇永은 책머리에 실은 「가사집 간행에 부치는 글」에서 "이 글로 인해 고단하고 가난한 삶 속에서도, 가없는 사랑의 마음으로 헌신하며 이 땅을 살다간 수많은 어머니들의 삶이 널리 전해지고, 그러므로 읽는 이들이 마치 내 어머니의 삶을 보는 듯 가슴 따뜻해질 수 있기를 희망한다. 그렇게 될 수 있다면, 이 가사집의 발간은 내 개인이나 우리 심문沈門의 사적私的인 숙원을 이루는 데 그치지 않고, 우리 모두의 어머니들이 인고와 희생의 삶 속에서 느낀 희로애락을 복원해 내고, 그분들의 뜻을 이어가려는 각오와 결실을 이끌어내는 계기가 될 것이니, 이 가사집 간행의 의미가 적지 않다고 할 것이다"라고 쓰고 있다.

가사는 고려 말부터 나타난 3.4조 또는 4.4조의 운문으로 된

시가 형식이나, 내방가사는 조선 영조 중엽 경부터, 주로 영남 지방에서 양반집 부녀자들 사이에서 유행된 것으로 '가사' 또는 '두루마리'라는 이름으로 지어져 전파 애독되다가, 6·25 전란 이후 거의 소멸되었다.

내방가사 연구학자 권영철 교수(전 효성여대 대학원장)는, 그가 수집한 6천여 편의 내방가사의 발생지가 주로 안동문화권, 경주문화권, 성주문화권이 대부분으로서, 권역별 비율이 5:3:2라고 말하고 있다. 그러므로 영남지방 중에서도 북부지방이 대종을 이루었던 것으로 보인다.

내방가사의 내용은 각양각색이나, 주제와 소재는 거의 양반 부녀자들의 생활 주변에서 얻은 것이다. 엄격한 유교적 윤리관에 입각해서 주제를 택하였고, 교훈적인 것이 원류를 이루며, 속박된 여성의 고민과 정서를 호소하는 내용이 주류를 이루고, 가문의 기쁨, 놀이와 행락 등이 아류를 이룬다.

내방가사의 문장을 보면 국문으로 되어 있으나 내용은 한문 문자를 섞어 쓰고 있어, 그때는 양반가 규수들이 혼전에 한문을 익혀서 출가했음을 짐작할 수 있다.

이백한 여사는 「초년기 회고록」에서 "건곤이 조판[1]하고/ 음

---

1) 처음으로 나눠짐

양이 갈렸어라/ 만물 중에 최령[2]하신/ 인생이 삼겨날 제/ 성현이 배출하사/ 삼강오륜 전해있고/ 유물유칙[3] 따로 있다"라고 시작한다.

이것은 북송北宋의 성리학자이며 우주론적 철학자인 주돈이周敦頤 선생의 태극도설太極圖說에서 천지만물의 화육원리化育原理와 인도人道의 유래를 설명한 뜻과 일치한다. 이는 규방문학閨房文學에서 유례를 찾기 힘든 박식함이 나타나 있다.

또 「초년기에 놀던 화전가花煎歌」에서는 뱃놀이를 하는 장면을,

"(전략) 단지[4] 앞 내려가서/ 다시금 선유하니/ 새 흥이 더욱 좋다/ 소동파의 적벽부냐/

소언[5]에 월출이라/ 청풍은 서래하고/ 수파는 불흥이라/ 칠월 기망[6] 놀음인가/

적벽강[7]이 완연하다/ 중류에 배를 띄워/ 범범중류 떠나갈

---

2) 가장 신령한
3) 사물에는 일정한 규칙이 있음
4) 안동 낙동강변에 있는 마을 이름
5) 오래지 않아서
6) 음력 7월 16일
7) 중국 호북성에 있는 강

제/ 만경창파 푸른 물은/

　경경이 흘러가고/ 은하수 맑은 물은/ 견우직녀 별빛 같고/ 층암절벽 벼로[8]에는/

　낙화분분 떨어져서/ (후략)"라고 읊고 있다.

　규방에 잠재하고 있던 문학성이 유감없이 발휘되고 있다.

　또 「설악산 단풍여행가」는, 이백한 여사 내외분이 노후에 고향 안동을 떠나, 장남 심우영이 서울에서 모시고 있을 때, 동네 경로당에서 단체로 설악산 단풍구경을 가는데, 79세의 노령으로 동참하여 지은 가사이다. 출발부터 귀경까지를 세세히 기술하고 있다.

　"(전략) 상상봉 올라가니/ 신선대에 올라온 듯/ 별유천지 비인간에/ 요지연瑤池宴에 왕래한 듯/ 심신이 황홀하다/ 동해바다 바라보니/ 만경창파 푸른 물결/ 강수는 잔잔하여/

　낙천을 노래하고/ 비조는 오락가락/ 양류간에 왕래하니/ 심신이 숙연하여/ 사람의 객회를 도우는 듯/ 좌우산천 둘러보니/ 봉봉이 아름답고/ 기암괴석 기이하다/ 천연적 생긴 석봉/ 조물

────────────

8) 벼랑, 절벽

주의 조화로다. (후략)"

「사향별곡 화수가」는 친정인 예안 이씨 종택이 500년 가까이 된 고택으로, 문화재로 지정되고, 또 나랏돈으로 중수한 것을 자축하는 모임이, 친손 외손 출가한 자손들 수십 명이 모여, 고택에서 하룻밤을 지내며 놀던 일을 가사로 엮은 것이다.

"(전략) 남녀 간 다 모이니/ 삼십 명이 다 되는 듯/ 색색으로 준비한 것/ 만반진수 차려 먹고/ 면면각각 춤 노래로/ 만방이 대소하고/ 화려하게 노는 모양/ 꿈인가 생시런가/
꿈이거던 깨지 말자/ 홍문연鴻門宴[9] 모듬인가/ 요지연瑤池宴[10] 잔치라도/ 이에서 더 좋을까/ 즐겁고 상쾌하다. (후략)"

노후에 친정을 찾아가서 친정 수하들이 즐겁게 노는 모습이 흐뭇하고, 친정 고택이 새 단장된 모습이 한없이 좋아 읊은 가사임을 알 수 있다.
또 시숙모님의 소상小祥을 맞아 올린 제문을 보면,

___

9) 홍문에서 유방과 항우가 만났을 때 잔치
10) 요지는 신선이 사는 곳으로 곤륜산에 있고, 목천자가 서왕모를 만났을 때 잔치

"유세차 계해 사월 이십칠일維歲次癸亥四月二十七日/ 숙모주 유인 순흥 안씨叔母主孺人順 興安氏/ 소상지일야 전석지하왈小祥之日也奠席 之下日/ 오호라 풍산 질부는嗚呼라 豊山 姪婦는/ 비박전물로 우리 숙질菲薄奠物로 우리 叔姪/ 천고 영결하온 말씀千古永訣하온 말씀/ 두어줄 일배주로 사배두어줄 一杯酒로 四拜/ 통곡우경전우령상지하왈 痛哭于敬奠 于靈床之下日/ 오호애재라 숙주요嗚呼哀哉라 叔主요/ 인자하신 자품이며仁慈하신 資稟이며/ 훈훈하신 덕행으로薰薰하신 德行으로/ (중략)

한 잔 술로 대강단필로한 잔 술로 大綱短筆로/ 아뢰오니 영혼이 알음이 계시거든/ 반가이 들으시고/ 서수흠격 하옵소서庶羞歆格 하옵소서/ 오호통재 상향嗚呼痛哉尙饗"[11]

역시 제문도 남자들의 것과 격식이 다를 바 없으며, 국문으로 썼지만 거의 한문 문자로 되어 있음을 알 수 있다.

내방가사에 곁들여 안동지방 양반가에서 행해지던 사돈지査 頓紙라는 것이 있었다. 옛날 며느리가 친정에 근친覲親 갈 때, 시어머니가 이바지 음식과 함께 안사돈에게 보내는 내간內簡이다.

---

11) 원문은 전부 국문이나 내용은 거의 한문인 바, 괄호 안에 한문 부분을 경북고 동문인 시인 정무수가 번역하여 원문과 병기했다.

또 시댁으로 돌아올 때도 똑같이 딸의 시어머니께 같은 격식을 갖추었다. 이바지 음식만을 주고받는 것은 범절凡節에 벗어나는 일로 여겼다. 엔간한 집성촌에서는 사돈지를 돋보이게 쓸수 있는 분이 많이 있었다. 옛날 어릴 때를 기억하면 사돈지는 그 문중에서 글을 제일 잘 짓는 사람에게, 글씨는 제일 잘 쓰는 명필에게 의뢰하여 가문의 체면을 세우려고 하는 것을 보아왔다. 이백한 여사도 월애리 심씨 집안의 사돈지를 맡아 짓고쓰고 했을 것으로 생각된다.

여성과 남성의 구별이 사회적으로 자리 잡은 시초는 수렵채취의 원시공동체에서 성별로 사회적 역할을 나눈 데에서 비롯되었다고 학자들은 정의하고 있다. 이런 가부장권 확립과 여성의 예속은 그대로 내려와 근대화 이전까지 이어져 왔다. 전통사회에서는 교육 등은 지배 계층인 남성의 전유물이었고, 여자에게는 부덕을 함양하는 여사서女四書, 삼강행실도, 열녀전, 소학, 내훈內訓 등이 양반가에서 교육되는 정도였다. 여성 교육의기본은 남성 지배 하에서 규방예절, 가사노동, 길쌈, 침선 등이주가 되었다.

이런 가운데서도 허난설헌, 신사임당, 이사주당, 이빙허각, 안동장씨부인 등 남성 못지않은 교육을 받고 교양을 지닌 선비들도 있었다.

 그러나 이들 여류 문장가보다 남성 우위 사회의 그늘에서 자녀 양육과 가사에 골몰한 여가를 틈타, 문필의 끈을 놓지 않았던 많은 이름 없는 어머니들이 더 값진 평가를 받아야 할 것이다.

 이들은 내방가사, 내방간찰內房簡札, 제문 등의 형식으로 여자로 태어났음에 대한 한탄, 여성의 행실과 규범, 자녀에 대한 교훈, 자연 풍광에 대한 정서 등을 주제로 한 많은 규방문학 작품을 남겼다.

 이들 작품들은 값진 문화유산으로 재조명되어야 하고, 이에 대한 발굴과 연구가 이어져야 할 것이라 생각한다.

 안동에서는 "안동내방가사 보존회"라는 모임이 부녀자들에 의해 창설되어 활동하고 있다. 이들은 매년 10월에 열리는 안동민속축제에서 "전국 내방가사 경창대회"를 개최하여 좋은 평가를 받고 있다고 하니 다행스런 일이라 생각된다.

(경맥문학 7, 2017)

고 인산 이준승 대법관을 추도함

　생노병사生老病死는 피치 못할 중생衆生이 타고난 길이라지만,
아직 하실 일을 많이 남기시고, 졸지猝地에 저희들과 유명幽明을
달리 하시다니 애통哀痛한 마음 가눌 길이 없습니다.

　족친族親이며 고종매형姑從妹兄이기도 하여 남달리 살가운 마
음으로, 늘 나의 잘못을 기탄없이 나무라시고, 마음에 드시는
일은 칭찬하며 아껴주시던 그 진정 어린 가르침을 이제 어디서
얻는단 말입니까.

　조반석죽朝飯夕粥으로 어렵게 자라나던 그때 그 시절에도 족
숙族叔께서는 굳은 심기心機를 잃지 않으시고, 고난을 극복하시
며 오직 학업에만 정려精勵하시어, 가문의 큰 별이며 나라의 큰
동량棟樑으로 우뚝 서셨습니다.

행정부에서 고등검찰청 검사장, 사법부에서는 대법관(장관급), 입법부에서는 국회 법사위원회 전문위원, 헌법기관인 중앙선거관리위원회 위원(장관급) 등 4부의 고위공직자로 나라에 큰 공을 세우셨습니다.

과문寡聞인지는 모르지만 정부 수립 후 4부의 고위공직을 두루 거친 인물이 또 있었을까 싶어, 늘 존경하고 너무나 자랑스럽기만 했습니다. 국사무쌍國士無雙이요 태산북두泰山北斗의 인품이라 일컬어도, 지나친 말이 아닐 듯합니다.

법조인法曹人으로 판결에 임하여 첫째 사건의 처리에 있어 정의正義가 어디 있느냐, 둘째 누가 억울하게 피해를 입었느냐에 기준을 두고 다루었고, 강한 자에 비굴하지 않고, 약한 자에 군림하지 않았다는 생전의 말씀은 두고두고 보배로운 가르침으로 심금心琴을 울려주고 있습니다.

고등고시高等考試 사법과司法科에 합격한 후, 육군 법무관으로 제2군 사령부 검찰관으로 복무할 때, 군수기지창의 어느 장교가 군수품을 부정처분한 사건을 적출했고, 그 피의자가 수박 속에 금덩이를 넣어 집으로 보내왔는데, 그 금덩이를 그의 사무실로 갖다 주고, 뇌물공여죄賂物供與罪를 추가하여 기소했다는 일화는 칼날 같은 정의로움과 청렴함을 여실히 말해주고 있습니다.

족숙께서는 친족향념親族向念도 남달랐습니다. 안동安東 풍산豐山 우렁골[芋洞], 2백여 호의 우리 집성촌은 종친들 간에 돈목敦睦이 유별하고 숭조정신崇祖精神과 예의범절禮儀凡節이 빼어나 유향儒鄕 안동의 어느 문중보다 앞섰습니다.

전의全義 예안禮安 이씨가 누대累代를 함께 세거하면서 친화를 다져온 마을입니다.

족숙께서는 고향에 자라날 때나, 대처大處에 유학 시 방학으로 귀향하면 족친 간의 친목모임의 중심 역할을 하셨습니다.

문장공파文莊公派 예안이씨禮安李氏 대종회장을 맡고 나서 뿐만 아니라, 그 전부터 문사門事에 혼신의 노력을 기울여 큰 업적을 남기셨습니다.

각심재恪心齋의 선조 묘소 도굴범盜掘犯을 검거 소탕하고, 위토位土의 소유권 확인 등 법적 재산 정리를 매듭지으셨습니다.

또 성역화사업聖域化事業으로 각심재 경내에 신축한 추원사追遠詞, 숭덕당崇德堂 등 건축물 전부가 무허가 건물로 당국으로부터 고발되고 철거 명령까지 내려진 위기를 서울시와 교섭을 통하여 건축물 전체를 양성화하는 데 성공했습니다.

그 밖에도 어려운 여러 종사를 종회 집행부와 더불어 말끔히 해결하여 종무宗務를 반석 위에 올려놓은 그 혁혁한 공로는, 종사宗史에 길이 남을 것입니다.

172 풋굿

일요일을 택하여 당일치기로 상경, 입원하신 아산병원으로 문병을 갔을 때, 너무나 반기시며, 내려올 차표를 사놓아 시간이 촉박한 나를 잡고 긴 시간의 이야기를 늘어놓던 그 정품을 잊을 수 없습니다. 곧 치료가 되어 퇴원하면 내가 있는 영주榮州에 놀러가겠다는 말씀이 있어, 반기면서 그러자고 약속을 했습니다.

그러나 그것이 마지막이 될 줄을 어찌 알았겠습니까. 생각할수록 슬픔을 금할 수 없고, 남기신 마지막 정담이 귓전을 울립니다.

자녀들이 서울에 근거를 두고 있으므로, 요즘 사람들은 흔히 서울 근교에 유택幽宅을 장만하는 것이 시속時俗임에도, 자라난 고향, 조상들의 백골이 묻힌 안동 땅에 장지를 마련해둔 그 깊은 뜻, 길이 출향종인出鄕宗人들의 귀감龜鑑이 될 것입니다.

인생人生은 무상無常하여, 눈 위의 기러기 발자국처럼 곧 사라져 설니홍조雪泥鴻爪라 하였지만, 족숙께서 남기신 큰 족적足跡은 유방백세流芳百世하여 후인들의 기억에 길이 새겨질 것입니다.

이제 안동 서후면 명리鳴里의 산자수명山紫水明한 명당에서 일생을 나라 위해 애쓰시고, 숭조애족崇祖愛族에 쏟던 노고를 거두시고 길이 영면永眠하소서.

저희들도 슬픔을 멈추고 남기신 유덕을 기리며 두 손 모아
명복을 빕니다.

오호애재嗚呼哀哉라! 족숙이시여.

고故 이준승李準昇 대법관大法官 연보年譜

1933. 8. 26. 아버지 장선章善(영주 문수면장)과

　　　　　 어머니 진성眞城 이씨李氏의 사남일녀 중

　　　　　 사남으로 출생(태사공 31세손. 문장공파).

1953.　 대구 대륜고大倫高 졸업. 고려대高麗大 법학과法學科 입학.

1956.　 제8회 고등고시高等考試 사법과司法科 합격.

1957.　 고려대 법학과 졸업.

1957.　 육군 법무관法務官(대위).

1961.　 대구지검大邱地檢 검사檢事.

1969.　 국회사법위國會法委 전문위원專門委員.

1971.　 인천지검仁川地檢 부장검사部長檢事.

1977.　 서울지검 형사부장刑事部長.

1980.　 서울지검 북부지청장北部支廳長.

1981.　 사법부法務部 법무실장法務室長.

1982. 대전지검大田地檢 검사장檢事長.

1985. 광주고검光州高檢 검사장檢事長.

1986. 대법관大法官.

1988. 변호사辯護士 개업.

1988. 중앙선거관리위원中央選擧管理委員.

1988. 예안이씨대종회장禮安李氏大宗會長.

2012. 1. 15. 졸卒.

시은당 할아버지의 생애
- 충의와 구휼의 큰 선비 -

1. 시은당 할아버지의 한 생

　시은당市隱堂 부군府君께서는 안동으로 낙남하신 생원공 훈薰 할아버지의 손자이시다. 휘諱는 진珎, 자字는 옥이玉尔이며, 호號는 시은당市隱堂 또는 마암磨嚴이시다.

　을묘년(1555년)에 안동 풍산현 우렁골에서 태어나 무진년(1628년)에 74세를 일기로 작고하셨다. 배위配位는 부사府使 순천順天 김윤안金允安의 따님이다. 슬하에 외아들 통덕랑通德郎 정발廷發을 두셨으나, 손자 대에는 4형제를 낳으시니 가세를 번창케 하는 터전을 이루었다.

　장손은 유량惟樑이요, 둘째는 유강惟橿으로 모두 생원시生員試

에 합격하였고, 셋째 유장惟樟은 진사시進士試에 합격했고 대유학자로서 퇴계학파退溪學派의 거봉巨峰으로 우뚝 선 어른이시고, 증 이조판서吏曹判書이시다. 넷째 유방惟枋은 유학을 본업으로 삼은 큰 선비셨다.

할아버지께서는 서애西厓 류성룡柳成龍 선생을 스승으로 모셨고, 우복愚伏 정경세鄭經世, 홍미弘微 김성극金省克, 여일汝一 황해월黃海月 등 제현들과 우의가 매우 깊었으며, 서로 시문詩文을 주고받았다. 필법筆法이 높고 오묘하여 사림의 추앙을 받았으며, 사람을 지성으로 대하고 귀천을 가리지 않는 호방한 성품이셨다.

임진왜란을 당하여서는 종숙주 풍은공豊隱公 할아버지와 더불어 거의擧義하여 충성을 다하셨고, 특히 화왕산火旺山 싸움에 크게 공을 세우셨다. 사재를 털어 의병과 관군을 도와 원종훈原從勳에 녹선錄選되어, 비변사備邊司의 제청으로 통훈대부通訓大夫 군자감주부軍資監主簿에 제수되었다. 1997년에는 영남충의단嶺南忠義壇에 봉안되었다.

2. 안타까운 유고遺稿의 소실

시은당 할아버지께서는 당대의 큰 선비로서 향내에 명성을 떨치셨으나, 임진·정유 두 차례 전화로 유고가 소실되었으니 후손된 처지로서 통한을 금할 수 없다.

장손이신 생원 유량惟樑 할아버지와 셋째 손자인 진사 유장惟樟 할아버지께서는 조부님의 유고가 유실되었음을 안타까이 여기시고, 남아있는 시詩, 서書, 제문祭文과 잡저雜著, 일기日記 등을 모았으나 그 분량이 많지 않아 문집을 발간하지 못한 채 세전世傳되어 오던 것을 지난 임진년(1992년) 14대 주손胄孫이며 필자의 사형舍兄이신 항직恒稙 님께서 문집을 간행했다.

세태가 많이 변천되어 문집을 유림의 대가에 보내도 알아볼 사람이 극소한 현실이니 전국의 대학 도서관과 언론사 등을 주로 하여 배포했다. 이 문집을 당시 경향신문 논설실장으로 있던 광훈光勳(대사성공파, 태사공 33세손)이 보고 경향신문에 장문으로 소개했다. 특히 문집에 실린 전란 중의 일기日記와 문견록聞見錄에 전란 속 백성들의 삶과 전쟁 중에 일어난 여러 일화들이 실려 있음을 소개했다.

이 신문기사를 읽은 『월간조선月刊朝鮮』 편집장인 조갑제趙甲濟 기자가 큰 관심을 갖게 되었다. 그 해가 마침 임진왜란 400주년이 되는 해이므로 임진왜란 특집을 구상하고 있던 중에 좋은 소재를 발견한 것이었다.

조갑제 편집장이 필자에게 자료를 간곡히 요청해 왔고, 나는 기꺼이 협조하여 그해 1992년 『월간조선』 10월호에 장문으로 게재되었다.

문집을 발간할 때에는 분량이 적어 한스러웠으나, 오히려 흔한 시문詩文보다는 훨씬 값진 일기와 문견록이 게재되어 있어 학자들의 주목을 받게 되었고, 귀중한 사료史料라는 평가를 받게 되었으니 마음 뿌듯함을 느꼈다. 그리고 일기와 문견록은 몇몇 대학 교수들의 논문에 인용되기도 했다.

3. 낭만적浪漫的이고 호방豪放한 큰 선비

시은당 할아버지께서는 집 뒷동산 기슭에 강당講堂을 세우고, 시은당市隱堂이란 당호堂號를 지어 편액扁額을 걸고 문우文友들과 더불어 시작詩作도 하고, 학문을 토론하는 공간으로 삼았다.

이 강당은 7대손인 우원尤園 정국楨國 할아버지께서 중건重建하여 오늘에 이르고 있다. 또 그 옆에 부군의 사우祠宇 모덕사慕德祠가 있고 매년 3월 15일에 향사享祀를 모시고 있다. 부군의 호號는 강당의 당호에서 따온 것이라 한다.

『시은당선생문집市隱堂先生文集』에 있는 시문들은 서정적이면서 장대壯大한 기상을 담은 명문들이다.

여기 할아버지의 즉흥시 한 수를 소개해 본다. 정유년 10월 26일 이사안李士安과 함께 이방숙李方叔의 정자 암정巖亭에 올라가서 멀리 바라보니 갑자기 시상詩想이 떠올라 시를 읊었다.

소정수사압강청小亭誰使壓江淸　청일명사십리평晴日明沙十里平
주인난대객귀거主人難待客歸去　귀거하감다소정歸去何堪多小情

정치위암진태허亭峙危巖趁太虛　비맹익익의운여飛甍翼翼倚雲如
객래음파회간원客來吟罷回看遠　천외천봉인안소天外千峰人眼疎
선몽대변독보허仙夢臺邊獨步虛　등영하필해망여登瀛何必海茫如
탐상부지귀로만耽賞不知歸路晚　감여증차거래소憾余曾此去來疎

소정小亭 앞에 강물을 누가 저토록 푸르게 했는고
맑은 날 명사明沙가 십 리에 펼쳤구나
주인을 기다리기 어려워 객은 돌아가나니
돌아간들 남은 정을 어찌 감당할 수 있을까
(읊고 나니 주인이 왔다. 서로 정답게 이야기하다가 그
시를 읊었더니 주인이 반기면서 그 다음 정운亭韻을 읊어

보라고 하기에 내가 곧 붓을 들어 다음 절을 연달아 썼
다고 기록하고 있다.)

정자는 바위 위에 우뚝 서 하늘에 닿았고
날 듯 용마루 나래마다 구름이 멈추었네
객은 시음詩吟을 그치고 고개 돌려 바라보니
멀리 하늘 밖 천봉千峰이 눈앞에 다가오네
언덕 가를 홀로 거닐며 신선 꿈에 잠기니
반드시 바다에 이르지 않아도 망망한 대해와 같구나
경개 좋아 늦도록 돌아갈 길 잊었구나
내 일찍 이곳 찾지 못했음이 한스럽도다.

할아버지께서는 술과 시詩를 즐기면서 낭만적인 생을 사셨
다. 다음 일기에서 전란 중에도 풍류를 잃지 않은 할아버지의
큰 풍도風度를 읽을 수 있다.
정유년 3월 11일에 여러 친구들이 백암栢菴 냇가에서 꽃을 즐
기고 물고기를 잡아 굽이쳐 흐르는 개울 옆에 둘러앉아 술을
마시며 시를 지으니 시구詩句를 읊는 소리가 계곡에 울려 퍼졌
다. 또 언덕에 매를 날려 꿩을 잡아 그것을 회를 쳐서 안주를
했다.

술에 취하여 돌아오는 길에 걸어가는 사람, 나귀를 타고 가는 사람들이 앞서거니 뒤서거니 하며 옛 산사山寺에 들러 하룻밤을 보냈다.

산사에서 아침에 두부 안주로 술을 나누면서 먼 곳에서 온 벗들을 위로하고 이별의 정을 아쉬워했다고 기록하고 있다.

또 시은당문집에는 시조時調 한 수가 실려 있다. 조선시대의 고시조는 고산孤山 윤선도尹善道 선생의 시대에 가장 성하여 절정을 이루었다. 할아버지께서는 윤선도 선생보다 한 세대가 앞선 어른이시니 조선조 시조 전성기보다 다소 앞선 작품이다. 그리고 할아버지께서 시조를 한 수만을 지으셨을 리 만무하고 많은 작품들이 유실되었음이 분명하니, 작품이 온전히 전해졌다면 고전문학의 귀중한 유산이 되었을 텐데 안타까운 일이다.

난리에 남은 몸이 낙엽과 한가지라
만산풍우滿山風雨 중에 어드러로 가잔 말고
추라레 자난닷하여 세사世事를 모르고저

4. 충의忠義와 구휼救恤

시은당 할아버지께서는 임진·정유 두 전란 중에 관군官軍과 명군明軍, 그리고 의병義兵들에게 군량미를 지원했고, 종숙주從叔主이신 풍은공豊隱公 할아버지와 함께 의병에도 가담하셨다. 특히 임진왜란 때는 화왕산火旺山 싸움에 큰 공을 세우셨다.

할아버지의 다음 시에는 우국충정이 절절히 나타나 있다.

천리변성조두경千里邊城기斗驚[1]   오년유미해진청五年猶未海塵晴

수중허로용천검袖中虛老龍泉劍   무계윤충보성명無計輪忠報聖明[2]

　　머나먼 변방에 조두기斗 소리 놀라웁고

　　오 년의 바다 먼지 아직도 맑지 않았는데

　　옷자락 속 용천검 헛되이 늙어가니

　　성명聖明에 보답할 충성 계책이 없도다

경산대학교 김성우金盛祐 교수는 "조선 중기 사족층士族層의 성장과 신분 구조의 변동"이라는 논문에서, 시은당 할아버지가 희사한 군량미軍糧米, 세미稅米, 구휼미救恤米를 일기에 나타난 내용을 근거로 도표圖表를 만들어 게재하고 있다.

---

1) 조두기斗: 옛날 군대에서 야경을 돌 때 쓰던 바라. 소리 나는 징.
2) 성명聖明: 임금의 밝은 지혜

정유년 1월에서 11월까지 11개월 동안 쌀 414.32두斗와 교초
(郊草: 말먹이 풀) 3바리[駄]를 지원했다고 집계하고, 또 일 년
간의 수확량을 추계하여 연간 수입의 39.4%를 군량미와 어려
운 이웃을 위하여 내놓았다고 기술하고 있다.

이것은 일기日記가 남아있는 정유재란 중 11개월간의 집계이
고, 임진왜란 기간이 빠진 것이니 군대와 남을 위해 할아버지
가 베푼 재산이 얼마인지 감히 생각하기 어렵다.

일기의 곳곳에 나타난 기록을 보면 인근의 어려운 사람들에
게 늘 양식을 보내주고, 초상을 당한 집에는 부미賻米를 보내주
며 구휼救恤을 몸소 실천하셨다.

5. 현달顯達한 후손들

우리 조상들은 패를 갈라 싸움을 일삼는 시국을 혐오嫌惡하
여 여러 대를 이어 살던 한양 땅을 버리고 안동 풍산현으로 낙
남落南하셨다. 탁세濁世를 피하여 유향儒鄕인 안동을 은둔隱遁의
터로 택한 것도 지고至高한 선비정신의 발현이었다.

근제공近齊公 할아버지의 낙남율落南律에 나오는 시구詩句는 이
러한 뜻을 담고 있어, 그 정신이 후손으로 이어지면서 그 맥을

면면히 이어온 것이다.

부세공명비소락浮世功名非所樂 막여남하채향궁莫如南下採香芎

뜬세상 헛된 공명은 즐길 바가 못 되니
먼 남쪽으로 내려가 향기 나는 궁궁이芎를 캐고
사는 것만 못할지고

그래서 후손들은 벼슬을 마다하였다.

그러나 학문에 정려하여, 글 읽는 소리가 상하리上下里에서 끊이지 않았으니, 그 결과 어느 문중에서도 보기 드문 32분의 생원과 진사를 탄생시켰고, 나라에서 주는 벼슬도 사양한 세 분의 징사徵士가 나온 자랑스런 가문이다.

시은당 할아버지는 낙남한 세 분 할아버지 중 생원이었던 막내 훈薰 할아버지의 장손이시다. 시은당 할아버지는 훌륭한 후손을 두셨다.

① 두 분의 징사徵士
고산孤山 유장惟樟 할아버지와 우원尤園 정국楨國 할아버지이시

다. 두 분 모두 불천위不遷位이다.

② 13분의 생진과生進科 급제

시은당 할아버지의 자손 중에 생진과生進科 급제자가 13분이 나 된다. 한 할아버지의 자손에서, 13분의 생원, 진사가 배출된 예는 극히 드문 일이라 생각된다.

휘諱	생진生進 구분	세계世系 (시은당 기준)	주손冑孫
유량惟樑	생원	손자	항직恒稙
유장惟樟	진사	손자	준돈準暾
유강惟橿	생원	손자(출계)	동수東秀
재경載坰	진사	현손	명수明洙
상진象辰	생원	5세손	준돈準暾
준석駿錫	생원	5세손	명수明洙
대석大錫	생원	5세손	경수炅秀
조범祖範	생원	6세손	명수明洙
인룡寅龍	생원	6세손	태선泰善
정국禎國	생원	7세손	항직恒稙
정호禎亳	생원	7세손	준두準斗
경일敬一	생원	8세손	갑직甲稙
광룡光龍	진사	10세손	준혁準爀

③ 문집 발간文集發刊

시은당 할아버지의 후손으로서 유고遺稿가 있는 어른이 25 분이시고, 그 중에서 문집을 간행刊行한 분이 11분[3]이시다.

휘	문집명文集名	세계(시은당 기준)	주손
유장惟樟	『고산선생문집孤山先生文集』	손자	준돈準暾
상진象辰	『하지문집下枝文集』	5세손	준돈準暾
정국楨國	『우원선생문집尤園先生文集』	7세손	항직恒稙
정보楨輔	『한송재문집寒松齋文集』	7세손	명수明洙
재수在洙	『하정연당양대문집荷丁研堂兩代文集』	11세손	항직恒稙
재준在濬	『창고문집蒼皐文集』	11세손	홍직鴻稙
용구用龜	『송은집松隱集』	11세손	준천準千
회문會文	『우산문집虞山文集』	12세손	홍직鴻稙
회직會稷	『하정연당양대문집荷丁研堂兩代文集』	12세손	항직恒稙
회목會穆	『늑당문집㔍堂文集』	12세손	춘직春稙
준영準英	『연정유고硏庭遺稿』	13세손	항직恒稙

④ 오늘날의 후손들

---

3) 원래 글에는 10분으로 되어 있지만, 선친께서 남기신 원고의 표의 휘 항목 하단에 '在濬'이라고 적혀 있어 글이 간행된 이후 한 분의 문집이 누락되었음을 확인하신 것 같다. 원고를 정리하면서 해당 항목이 '재준在濬 / 『창고문집蒼皐文集』 / 11세손 / 홍직鴻稙'임을 확인하여 추가하였다.

오늘에 이르러서도 자손 가운데 자랑스러운 인물도 많이 배출되어 시은당 할아버지의 뒤를 이어 사회에 큰 기여를 하고 있다.

　박사학위를 취득하여 학문적으로 이름을 떨친 후손들이 적지 않고, 재계에서도 견실한 기업을 일궈 큰 성공을 거둔 후손들 역시 많다. 사법고시와 행정고시에 합격하여 사법부와 행정부의 요직에 올라 관계에서 활발히 활동하는 이들도 다수다.

분단의 현장을 다녀와서
- 판문점 견문기 -

죽령과 치악을 넘어

　겨레의 한이 맺힌 분단의 현장을 둘러본다는 것은 구경거리가 아닌 가슴 아픈 일임엔 틀림없다. 오매癰寐에도 그리워하는 통일 조국을 앞당기기 위해서는 우리들의 결의를 다지거나, 깊이 있는 의식교육보다 오히려 실상을 적나라하게 볼 수 있는 현장의 답사가 오히려 더 값진 것이기 때문에 휴전선과 판문점 견학은 실로 뜻있는 일이다.

　10월 9일 민족통일협의회(이하 민통) 영주지부(회장 권기호)가 주최하는 판문점 견학에 동참하게 되었다. 평소 늘 한 번은 가봤으면 했던 곳이라 들뜬 마음으로 전날 밤을 선잠으로 지

새웠으니 소풍 가는 전야의 초등학생과 다름없다는 생각이 들어 혼자서 웃지 않을 수 없었다.

아침 5시 반 우리 일행들은 두 대의 관광버스에 분승하여 기대에 찬 일정에 올랐다. 새벽의 어스름을 뚫고 달리던 버스가 풍기에 이르니 그곳에는 풍기 지역의 여성 민통회원들이 기다리고 있었다. 도중에서 우리 일행들이 먹을 아침과 점심 식사를 준비하여 차에 올랐으니 그들의 정성스러움에 고마움을 금치 못했다. 그뿐 아니라 여성 회원들이 차내 곳곳의 빈자리에 끼어 앉으니 분위기가 한결 부드러워졌다. 차는 단풍이 물들기 시작하는 죽령을 넘는다. 늘 느끼는 일이지만 죽령의 식전 공기는 맑다기보다는 차라리 코를 쏘는 듯한 신선함이 목에 달해 그냥 지나치기가 아깝게 여겨진다. 소백산 계곡들은 안개로 자욱하게 덮여 있어 정말 영산靈山 소백의 장엄함을 한껏 과시하고 있었다.

죽령을 넘어서 단양을 지나갈 때 오늘의 책임자 격인 권기호 회장의 차내 인사말이 있었다. 전날 민통 영주지부에서 주최했던 귀순자 여만철의 강연회에서 나온 내용을 인용하여 우리 모두의 경각심을 촉구하는 권 회장의 말은 실감나게 가슴에 와 닿았다.

특히 "우리나라 예비군 훈련은 지금처럼 미온적으로 하려면 차라리 안 하는 것보다 못하다. 북괴는 식당 여자 종업원까지 군사 훈련을 하며 임전 태세를 갖추고 있으며, 쌀 주고 경제 지원을 하는데도 한편으로 무장 공비를 침투시키고는 훈련 중 좌초된 것이라는 생트집을 부리며 백배 천배의 보복을 하겠다는 그들의 이중적이고 악랄한 진면목을 깊이 인식하여 대처해야 한다"는 권 회장이 전하는 여만철의 외침은 우리 모두에게 폐부를 찌르는 각성을 불러일으키게 한다.

차가 중앙고속도로를 진입하여 얼마쯤 달리다가 충청과 강원도를 가로지르는 치악산에 자리한 치악 휴게소에 이르렀다. 이곳에서 아침 식사를 한다는 것이다. 시간은 7시 40분. 이른 시간이라 넓은 치악 휴게소의 주차장에는 차가 거의 없다. 우리 일행은 부녀회원들이 배식하여 주는 우거지 국과 밥을 받아 땅바닥에 삼삼오오 둘러 앉아 아침 끼니를 때웠으니 정말 정감이 나는 분위기였다. 오늘따라 구름 한 점 없는 쾌청한 날씨이다. 무장 공비 침투 사건 이후 이미 짜여져 있던 판문점 견학 스케줄이 대부분 취소당하였으나, 마당발 권기호 회장이 관계 당국에 특별 교섭한 덕분으로 민통 영주지부의 스케줄은 당초 계획대로 진행된 것이라고 하니 권 회장의 노고에 감사하는 마음을 금할 수 없었다.

자유의 마을 대성동과 기정동

올림픽 도로를 따라 한강을 끼고 서울을 통과하여 시원하게 쭉 뻗은 자유로를 따라 달리니 새로 조성된 일산 신도시의 깨끗한 아파트 단지들이 오른편으로 보이고 거기서 이삼십 분을 더 달리니 왼편으로 오두산 통일전망대가 보인다. 그곳도 볼거리들이 많은 곳이지만 빠듯한 일정 때문에 우리들은 그냥 지나쳤다. 이곳부터 북한 땅이 육안으로 보이기 시작한다.

남북한의 경계를 묻기 전에 남북이 확연히 구분되는 것은 양쪽 산의 모습이다. 남쪽 산은 수목이 울창한 데 비하여 북녘 산은 나무 한 그루 보이지 않고 풀도 듬성듬성 나 있는 민둥산이라는 것이다. 땔감을 나무에 의존해야 하는 북한 실정을 보는 듯하여 애처로운 생각이 들었다.

임진각에서 돌아오지 않는 다리를 건너 1번 국도(목포─신의주)를 따라 목적지를 향하여 한참 가다가 왼편으로 자유의 마을 대성동臺城洞이 보인다. 대성동은 1953년 군사정전위원회 협정에 의하여 비무장지대인 파주군坡州郡 군내면郡內面 조산리造山里에 설치된 마을이다. 이곳 주민들에게는 농지 소유권은 없지만 노동력이 있으면 제한 없이 경작이 가능하고, 또한 이들에게는 납세와 병역의 의무가 특별법에 의하여 면제된다고 한다.

세대 당 평균 경작 농지가 3만 평 정도이며 완전 기계화 영농이 이루어지고 있다. 연간 2억 원에 가까운 농업 소득을 올리는 농가가 있으며, 모든 주민들이 고소득자로서 고급 승용차를 소유한 가구가 여러 집이고 서울 압구정동에 아파트를 갖고 있는 사람들도 많다는 이야기이다.

대성동이 속해 있는 군내면은 인구 650명으로서 조산리와 백련리의 두 개 동리뿐인 미니 면面이며 백련리의 통일촌에 군 출장소만이 설치되어 있고, 면사무소와 파출소가 없다. 이 군내면은 면사무소가 없는 우리나라에서 유일한 면인 셈이다.

이 대성동에는 6·25 직전까지 약 50세대의 농가가 살고 있었다. 그러다가 6·25 동란이 발발하자 대부분의 사람은 피난도 가지 못한 채 그대로 눌러 있어야만 하였다. 휴전이 되고 대성동의 위치가 군사분계선 남쪽에 속하게 되자 유엔군과 국군은 피난가지 못하였던 주민들을 딴 곳으로 이주시키지 않고 그곳에 그대로 살게 한 데서 유래된 마을이다. 경제적으로 여유있는 이 마을도 다른 지역의 여자와 결혼하는 남자는 자유의 마을에 그대로 살 수 있지만 다른 지역의 남자와 결혼하는 여자는 반드시 그곳을 떠나야 한다고 하니 이것이 불편한 점이 될 수도 있을 것 같다.

여기서 또 웃지 못 할 정경을 보게 된다. 대성리 마을에서 약

1km 떨어진 북한 지역에 북괴가 만들어 놓은 '기정동'이라는 시범 마을이 자리하여 대성동과 마주보고 있다. 아파트 비슷한 공동주택이 띄엄띄엄 배치되어 있으나 실제로는 주민이 거주하지도 않는 빈 마을이라고 한다. 이 마을에 160여 미터 높이의 게양대를 만들어 북괴의 인공기를 매달아 놓은 것이다. 안내자의 말에 의하면 이 게양대는 우리 대성동의 우리 국기게양대보다 더 높게 하기 위해 만든 세계에서 제일 높은 국기게양대라는 것이다. 어처구니없는 그들의 작태가 유치하고 한심스럽기 그지없다. 안내자가 이 설명을 할 때 일행 중 어느 누군가 "가방 크다고 공부 잘하나?"고 하여 일행들을 한바탕 웃겨주었다.

도끼 만행의 상흔傷痕

대성동을 지나 얼마쯤 가다가 보니 길옆에 돌을 깎아 만든 작은 비석이 서 있었다. 이것은 북괴의 도끼 만행에 의하여 희생된 유엔군의 넋을 달래고 그날의 참상을 되새기기 위하여 세워 놓은 것이다. 높이 50cm도 안 될 정방형의 돌 위에 동판을 박아 글씨를 양각하여 놓은 것으로 세상을 발칵 뒤집어 놓았던 당시의 사건에 비하면 너무나 초라하다는 생각이 들었다.

1976년 8월 18일에 일어난 일이다. 당시 공동경비구역이었던 이곳에 미루나무가 서 있었는데 가지가 무성하여 경비 시야를 막고 있어 유엔군 측은 사전에 북측에 그 미루나무를 전지하겠다고 통보까지 한 후 전지 작업을 하던 중 북괴군들이 손도끼를 들고 느닷없이 들이닥쳐 야만적인 살육을 자행한 천인공노할 사건인 것이다.

오직 자유와 평화를 수호하기 위하여 이역만리 낯선 땅에 와서 이름 없는 골짜기에서 야만적인 테러에 의해 무참히 산화한 꽃다운 젊은 영혼들의 명복을 진심으로 빌었다. 주위에는 노란 들국화들이 피어 있어 그들의 넋을 달래주는 듯하였다.

널문마을 판문점板門店

판문점에 들어가기 전에 있는 ○○캠프에 도착한 것은 11시 30분이었다. 널찍한 공터에 버스를 세우고 이곳에서 일행들은 하차를 하여 점심식사를 하였다. 공터에 세워져 있는 관광버스는 우리 차를 제외하고는 몇 대 되지 않음을 보아 우리 일행은 덕분에 스케줄의 취소 없이 좋은 구경을 할 수 있게 되었음을 재삼 확인하게 되었다. 이곳에서 판문점 견학에 따른 주의사항과 판문점 개황에 대한 내용들을 관계당국으로부터 브리핑을 받고 '자유의 집', '판문각', '남북회담장' 등이 있는 판문점으로 이동하기 시작했다. 판문점은 6·25 전쟁 때 1951년 10월부터 1953년 7월까지 유엔군과 공산군 사이에 휴전 회담이 열렸던 곳. 이곳에서 1년 9개월 동안 우여곡절과 설전으로 계속된 휴전회담 끝에 1953년 7월 27일 오전 10시 휴전협정이 조인되었다.

판문점의 위치는 서울 서북쪽 48km 개성 동쪽 10km 지점이며, 부근은 긴 지름 1km, 짧은 지름 800m인 타원형 구역이며 한복판에 휴전선이 있다. 6·25 당시 행정구역으로는 경기도 장단군 진서면 선적리와 개풍군 봉동면 발송리 사이에 걸쳐 있다. 최초의 판문점 회담 장소는 도로변에 초가집 4채가 있던 자연부락 '널문[板門]'이라는 곳이다. 이곳에 천막을 치고 휴전회담을 하였다. 판문점이라는 이름은 '널문'이라는 마을 이름에서 비롯된 것이다. 이곳에서 휴전회담이 끝나게 되자 휴전협정 조인을 위하여 약 200평의 목조건물(북한은 '평화의 전당'이라고 함)을 마을 부근에 세웠는데, 이곳이 두 번째의 판문점 회담장소이며, 협정 조인 이후 지금의 위치로 옮긴 것이 세 번째의 장소이다. 최초의 장소인 널문마을과 두 번째 장소인 '평화의 전당'은 지금의 판문점 회담장에서 북쪽으로 약 800m 북한 측 비무장지대에 있다.

지금의 회담 장소도 처음에는 천막으로 시작되었으나 휴전이 점차 장기화됨에 따라 군사정전위원회 본회의장과 중립국감독위원회 회의실을 비롯한 부속건물들이 항구적인 건물로 바뀌게 되고 '자유의 집'(1965)과 '판문각'(1968) 등 콘크리트 건물도 세우게 되었으며 1980년대에 이르러 남북 대화의 빈도가 잦아지자 '평화의 집'(남쪽)과 '통일각'(북쪽) 등 남북대화용 건물도 자리를 잡게 된 것이다.

군사분계선을 넘나들며

○○캠프에서 버스를 타고 조금 더 들어가니 텔레비전에서 화면을 보아 눈에 익숙해진 판문점의 '자유의 집'과 '판문각' 등이 한눈에 들어온다. 이곳이 우리의 분단의 아픔을 정말 실감케 하는 현장, 판문점인 것이다. 우리 일행은 전망대에 올라가서 북쪽을 바라보았다. 북측 판문각에 관람객 20여 명이 보인다. 남쪽을 향하여 사진도 촬영하고 쌍안경으로 이쪽을 살펴보기도 한다. 안내자의 설명에 의하면 저쪽의 관람객은 북한 주민들은 아예 있을 수도 없고 북한을 여행하는 중국, 일본 등 외국인이라는 것이다.

쌍안경으로 바라보니 그들은 생김새가 중국 사람인 듯이 느꺼졌다. 전망대를 내려와 우리는 군사정전위원회 회담장을 견학했다. 회담장은 군사분계선이 회의실 한복판을 통과하도록 건립되어 있어 회의장의 반쪽은 남쪽 땅, 반쪽은 북녘 땅으로 되어 있다. 회의용 탁자도 건물의 한가운데 즉 군사분계선 위에 놓고 양측이 회담을 한다는 것이다. 군사정전위의 협정에 의하여 그 방 안에서는 군사분계선의 남북을 자유롭게 왕래할 수 있도록 되어 있다.

우리 일행들은 회담장 안에서 군사분계선 북쪽에 서서 기념 사진을 촬영하였으니 북한 땅을 갔다가 온 셈이 되는 것이다. 우리가 사진을 찍고 있을 때 건물 밖에서 보초를 섰던 북괴 병사가 무슨 구경거리라도 있는 듯이 방 안을 들여다보고 있었는데 안색이 초췌하고 깡마른 것이 서른 살은 넘은 듯이 보였다.

회담장 바깥에도 시멘트 바닥에 블록 높이 정도로 군사분계선을 표시하여 놓았는데, 남북 쌍방의 경비병들이 집총을 하고 서로 10m 정도 떨어져 마주보며 보초를 서고 있었다(2018년 10월 25일 이후에는 비무장 경비병이 근무하는 것으로 바뀌었다). 우리 측 병사들은 건강한 안색에 잘 다려 입은 군복과 잘 닦은 군화를 신고 생기에 차 있음에 비하여 북측의 병사들은 어쩐지 영양실조에 걸린 듯하여 사기가 떨어져 있음을 직감할 수 있었다.

지구 상에 유일한 분단국가. 같은 민족끼리 서로가 총을 겨누어 대치하고 있는 이 안타까운 현실에 가슴이 답답하여 눈시울이 뜨거워 옴을 금할 수 없다. 이곳을 살펴보는 동안 감회가 교차하여 느끼는 바를 서투른 시로 엮어 보았다.

헐벗은 저 산하山河도 정녕 우리 것이어늘
지척咫尺에 두고서도 아쉬움만 달래는가
반백년半百年 맺힌 한이 가슴 속에 사무치네
어이타 금수강산錦繡江山 저 몰골이 무슨 일고
나무는 베어내고 풀뿌리도 뽑아낸가
짓밟힌 북녘 뫼가 한결 더 가슴 아려
기름진 옥토沃土들은 잡초雜草로 폐허廢墟인데
한 어린 철책들을 흉물처럼 늘어놓고
한아비* 같은 자손 총 겨누고 맞서있네
마식령馬息嶺 발원發源하여 경기평야 펼쳐놓은
임진강臨津江 물줄기는 예처럼 도도滔滔한데
어느 때 저 나루 건너 오갈 날이 다시 오랴

---

* 한아비: 할아버지의 고어(두시언해 4:7).

한 많은 임진강臨津江

　임진강은 함경남도 마식령馬息嶺에서 발원하여 서남쪽으로 흘러 황해에 이르는 강이다. 길이 254km의 이 강은 강원도 북부를 흐르면서 고미탄천古味呑川과 평안천平安川을 합류하고 경기도 연천에서 철원 평강을 거쳐 흘러온 한탄강漢灘江과 합류한다. 다시 고랑포를 지나 문산 일대의 저평지를 흐르는 문산천과 합하고 하류에서 한강과 합류하여 황해로 흘러든다. 국토가 분단되기 이전까지는 경순왕릉이 있는 고랑포까지 배가 다녔고 소형 선박은 강원도 안협安峽까지 올라갈 수 있었다. 이 강의 하류지역에 파주, 장단군 등이 있으며 한강과 함께 넓은 경기평야를 형성하는 고마운 강이다.

　그러나 이 임진강은 역사적으로 전화戰禍와 함께 해 온 물줄기이며, 지금까지 민족의 아픈 응어리를 풀어주지 못하는 한 많은 강이 되고 있는 것이다. 예로부터 고구려, 신라, 백제 3국의 국경이 되어 역사적으로 싸움이 끊일 때가 없었다. 고구려 광개토왕이 이 강에서 백제군을 대파했으며 신라 진흥왕은 이 강의 남쪽을 점령하여 고구려와 대치했고 신라가 당나라와 더불어 고구려를 정벌하였을 때는 이 강에서 큰 싸움을 한 후 이를 점령하고 평양으로 진격한 일이 있다.

임진왜란 때는 도원수 김명원金命元 등이 이 강에서 관군을 이끌고 일본군의 북침을 막으려다가 크게 패하여 신할, 유극량 등 장수들이 전사하고 많은 관군이 수중고혼이 된 슬픈 사연을 지니고 있다. 또 6·25 때는 북괴군이 이 강을 도하하여 남침을 하였으며 강의 중상류 지역은 격전지로 이름난 곳이기도 하다. 그러나 이 한 많은 임진강은 오늘도 모든 역사적 사연을 모르는 채 옛날처럼 고요히 흐르고 있고 어디로부터인가 철새들만 날아와 물 위에서 한가로이 노닐고 있다.

남북연락사무소 견학과 흥겨운 귀로歸路

짧은 시간이지만 감회와 충격이 큰 하루였다. 판문점을 뒤로하고 귀로에 오르기에 앞서 마지막으로 남북연락사무소에 들렀다. 이곳에서 우리 일행은 남측소장 이준구 씨로부터 북한 실정에 대한 이야기를 듣고 북한의 실상을 담은 20분 정도의 영화를 보고 느낀 바가 많았다. 이 남북연락사무소 탐방은 일반 관광객에게는 허용되지 않는 코스이지만 이준구 소장과 우리 일행 중 한 분인 권태림 의원과는 대학 동창생으로서 우리 영주 관람팀에게 특단의 호의를 베푼 것이다.

이준구 소장은 인상도 좋을 뿐 아니라 뛰어난 화술로 그가 겪어온 경험과 북한의 실상을 파헤쳐 이야기하는 것들이 우리들에게 큰 감명을 주었다.

시간은 오후 5시였다. 일정이 다소 지연되었으므로 서둘러 왔던 길을 따라 영주로 돌아가기 위해 출발하였다. 자유로를 막힘없이 신나게 달렸으나 행주대교를 진입하는 데 오래 걸렸고 올림픽도로를 따라 서울을 통과하는 데 많은 시간을 빼앗겼다. 마침 퇴근시간 대와 맞물려 교통 체증이 극에 달한 느낌이었다.

중부고속도로에 채 진입도 하기 전에 차안은 양주 파티가 시작되었다. 여성 회원들이 준비한 마른안주와 과일을 안주로 하여 주거니 받거니 하다 보니 크게 취하고 말았다. 정신을 잃을 정도가 되었다. 드디어 차내 마이크 줄이 늘여지고 노랫소리가 나오기 시작한다. 집요하고 끈질기게 권하는 사회자의 성화에 못 이겨 일행들 전부가 한두 곡씩 부르지 않을 도리가 없었다. 과음한 일행 대부분이 차 안에서 곯아떨어져 언제 영주에 도착했는지 모를 지경에 이르렀다. 버스 기사와 몇몇 분이 일행을 깨우는 데 고초를 겪었다. 시계를 보니 자정을 훨씬 넘겼다. 즐거웠던 나들이는 결국 1박 2일의 여행이 되고 말았다. 영주 민통 권기호 회장 등 앞장서서 주선했던 분들에게 잊을 수 없는 고마움이 느껴진 뜻깊은 여행이 되었다. (2012)

운율 있는 글

「充實한 時間을 ... ...」

운율
있는
글

...

—1963. 7. 3—

K. J. Rhee

불안한 시간을 위한 영가

가슴에서 용솟음치는 뜨거움이 식어가고
당신의 이름으로 언제나 부르던 노래가 그치면
하나를 응시하기에 지쳐버린 나의 동공은 시점을 잃으리

무엇이라 이름할 것인가
지금 내가 서 있는 이 거치른 위치에서
마돈나 당신에게로 달리는 이 숨 가쁜 활주로를

오랜 세월을 염원念願하기에 지쳐버린
알뜰한 마음과 마음은
석불石佛로 굳어 한결 천연한 미소를 띠우고

수다數多한 의미를 용해하는 빛나는 자세로
저렇게 자리하고 있지 않는가

지금 이때는
누를 탓할 때가 아니다
하늘의 지나친 은총으로 대지大地의 위에
휘뿌리는 이 차거운 물길로
온몸을 함뿍 적셔 보자

피로해진 목청을 가다듬어
힘껏 노래 부르자

의욕意欲을 가늠하는 하 많은 대열隊列 속에
나도 의젓이 끼여
해맑안 얼굴에 이즈러진 웃음을
띄워 보자

(1963. 7. 3.)

뚜껑바위

까마득한 옛날
철탄산鐵呑山 정수리 향해
기어오르던 너
그 자리 썩 맘에 들어
바위 되어 멈췄는가

하늘에 닿던 짙푸른 뜻
강물처럼 도도한 기세도
허물 같이 벗어 던지고
이제 둥실하고 편한 모습으로 있다

높은 데나 낮은 데나
움직이거나 머물거나
아무 다를 것이 없는 것을
모두 다 허상虛像일 뿐인 것을
여몽환포영如夢幻泡影
여로역여전如露亦如電

이제 억겁億劫을 이어갈
끈질긴 묵언默言으로
찌든 번뇌煩惱 훌훌 털고 있는데

소갈머리 바랜 사람들
촛불 켜고
무릎 꿇어 절을 한다
오직 저만을 위하여

두메 춘란

벌 나비도 찾지 못할
후미진 두메 산골
행여나 뉘 보랴
몰래 와 잡은 삶터
시려오는 맘 다스려
안으로 삭힌 염원念願

묵언默言으로 이어온 세월
번뇌의 무게 훌훌 털고
이끼 낀 바위 너설에
뿌리 내려 숨은 것은

새 소리 바람 소리도
저어하는 숫된 영혼

솔잎 향 젖은
미풍에 몸을 맡기고
윤기 가신 박토 위에
이슬 받아 목 축이며
곧은 잎 오롯이 뻗어
시공時空 향한 해묵은 호소

차분한 자세로
- 축시, 아란회 창립 4주년에 부쳐 -

난계蘭谿

거짓 없이

늘 푸르고

향기롭고

도도한 기품氣品이 좋아

모두가 신들린 사람들

티 없는 마음으로

꾸밈없는 모임을

가꾸어 온지 벌써 네 해

나를 내세워 펼치지 않는

가난한 마음으로
스스로를 닦아
안으로 안으로만 영글어온
소중한 벗들

이제
걸음마를 벗어나
홍안紅顔의 미동美童으로 자라난
아란회我蘭會

서로의 슬기를 모으고
알뜰한 정성으로
이 땅 위에 우뚝이
난蘭 사랑의 값진 탑塔을 세워

언제까지나
흩어짐이 없는 지순至純한 정분情分으로
머리를 맞대고
자강과 북돋움과
쫓기지 않는 차분하고 겸허한 자세로

난을 지켜보며
난을 생각하며
난의 높은 얼을 깨우쳐서
한없이
한없이 뻗어 가리라

아란회여 영원하라
- 축시, 아란회 창회 서른 돌에 부쳐

너의 나이 어느새 서른
헌칠한 장골이 되었구나
수려한 외모 옹골찬 허우대보다
튼튼한 정신이 돋보이는구나

1982년의 어느 날
난이 좋아서
그것에 미쳐 있는 사람들이
티 없이 조촐한 마음으로
거창하고 사치스런 목표도 없이
그저 모였다

아란회는 이렇게 태어났다
명문가의 옥동자처럼
축복을 받지도 못했다
눈길 주는 이도 없었다

그러나 아란회는
모진 세파 속에서도
튼튼하게 자랐다
참 대견스럽기도 하다

자기를 내세워
자랑하고
잘난 멋에 취하는 자만심
그런 것은
아란회엔 없다

늘 겸허한 마음으로
서로를 아끼고 부추겨서
사랑과 결속을 다져온 값진 세월이었다
이것이 아란회의 색깔이고
지금까지 이어온 숨결이다

우리 앞으로도
더욱 옷깃을 여며
안으로는
스스로를 갈고 닦아
내실을 다지고
밖으로는
지치지 않는 빼어난 기상으로
앞을 향해 한없이 뻗어 나가자

언제까지나
난의 고결한 얼과
호연지기浩然之氣로
심신을 채워
넓디넓은 시공時空을 향해
힘껏 포효咆哮하자

아란회여 영원하라

소백산 밑에서

여천汝泉 이규직

임진강에서

헐벗은 저 산하山河도 정녕 우리 것이어늘
지척咫尺에 두고서도 아쉬움만 달래는가
반백년半百年 맺힌 한이 가슴 속에 사무치네

어이타 금수강산錦繡江山 저 몰골이 무슨 일고
나무는 베어내고 풀뿌리도 뽑아낸가
짓밟힌 북녘 뫼가 한결 더 가슴 아려

기름진 옥토沃土들은 잡초雜草로 폐허廢墟인데
한 어린 철책들을 흉물처럼 늘어놓고
한아비 같은 자손 총 겨누고 맞서있네

마식령馬息嶺 발원發源하여 경기평야 펼쳐놓은

임진강臨津江 물줄기는 예처럼 도도滔滔한데

어느 때 저 나루 건너 오갈 날이 다시 오랴

춘란부

난계蘭谿

엽葉

두어 줌 박토薄土 속에 옥 뿌리 드리우고

허허한 시공時空 향해 높은 뜻 나래 펴니

어느 뉘 연약타 하여 풀이라 이를 손가

화花

가녀린 몸매에다 큰 기품氣品 간직하고

수집듯 빼난 맵시 꽃이긴 아쉬움이

봄 아침 흰 이슬 속에 사뿐 선 상계선인上界仙人

향香

작은 잎 고운 자태姿態 천성이 어진전차
밝고도 맑은 내음 사방에 가득하니
외람히 그 속에 들어 시름을 씻으오리

자姿

미풍微風에 하늘대나 무게는 바위 같고
곱게 핀 화용花容에도 요염妖艶에 안 젖으니
누리에 견주을 군자君子 어디메 또 있으랴

무제 1

맞은편에 오는 사람
언젠가 본 듯한데
가까이 만나보니
모르는 사람 분명한데
아뿔싸 보내 놓고 보니
다시 또 알 듯한 사람

첨부터 알고 태어난
이 없기도 하지마는
알다가도 잊게 되고
모르다가 알게 되는 것
살갑다 사람의 연분
실개울처럼 이어지네

무제 2

가을에만 갈재인가 봄에도 좋은 것이
신록에 묻힌 계곡 단풍에 뒤질 손가
사철이 다 추경만 같아 갈재라 하였던가

세파에 찌든 무리 선경에 몸을 던져
산채山菜를 안주하여 소주잔을 기울이니
무엇이 부러우랴 가이 없는 이 신세가

언제나 공棗치기에 이골 난 사나이들
빈손이면 별탈 나랴 온산이 내 난인데
동트면 앞산에 올라 살펴보면 그만이지

난과 함께 한 나날, 『여란잡기與蘭雜記』

난과
함께 한 나날,
『여란잡기與蘭雜記』

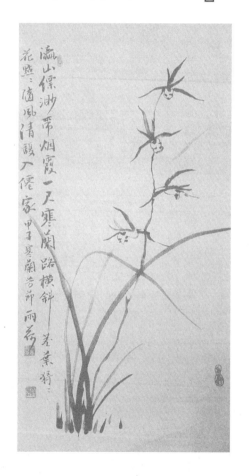

병든 닭

　멀지 않은 옛날 부업으로 닭을 치는 농가에서는 뉴케슬과 같은 닭 병의 예방접종豫防接種을 한다는 것은 꿈같은 이야기였다.

　한 마리의 닭이 병에 걸리면 며칠 사이에 수십 마리가 감염되어 떼죽음을 당하는 비운悲運을 맞게 된다.

　영세농零細農에게는 너무나 큰 손실損失이 아닐 수 없어 일단 병에 걸리면 장터에 내다가 싼값으로 처분하여 반 손해라도 건진다. 이 경우 사는 사람도 씨닭으로 사는 것이 아니라 워낙 어렵게 살던 때인지라 잡아먹기 위해서이다. 여기서 문제가 되는 것은 몇 마리의 닭이 병에 걸리면 으레 다른 닭에게도 옮기는 것이 자명自明한 것이므로 그 다른 닭을 내다 파는 경우이다. 사는 사람이 씨닭을 하기 위해 사는 경우 큰 낭패狼狽를 당하기 마련이다. 이와 비슷한 일들이 가장 수준 높은 취미趣味를 가졌음을 자처自處하는 난인蘭人들 사이에 자행恣行되고 있다는 사실은 정말 개탄慨嘆할 일이다. 애란인愛蘭人에게는 치명적致命的인 충격衝擊을 주는 바이러스에 걸린 난을 새 촉을 떼어버린 후 난상蘭商에 매물賣物로 내어 놓는 검은 속을 가진 사람들을 볼 수 있다.

나의 경우 몇 년 사이 십여 분의 중국 춘란을 속아 산 적이 있다. 특히 지난해 시월 고가高價의 서신매西神梅 다섯 촉을 큰 마음 먹고 구입한 후 행여나 다칠세라 애지중지 길렀더니 청초淸楚한 꽃 한 송이를 피워 가슴 설레게 하였고 올해 삼월 아란회我蘭會 전시회展示會에 출품出品까지 했었다. 그런데 이게 웬 변고變故인가. 유월에 새 촉이 올라오면서 바이러스의 흉물스런 무늬를 나타내고 있는 것이었다.

정말 통탄痛歎할 일이 아닐 수 없다. 당장 난을 집어치워야 하겠다는 생각이 앞섰다. 다행히 매입처買入處에서 바꾸어 주겠다는 약속約束이지만, 병든 것인 줄 모르고 그동안 그것에 쏟았던 정성은 어느 누구로부터 보상받을 수 있단 말인가?

한 촉의 난이라도 손에 넣을 때는 새 식구로 받아들여 안심하고 정을 쏟을 수 있는 정착된 풍토가 언제 이루어질 것인지 서글픈 생각이 앞선다. (86. 9.)

극성형과 태평형

난실蘭室에만 들어가면 물을 주고 싶어 못 견디겠다는 극성스런 사람들이 있다. 거름을 많이 주면 빨리 자랄 것 같아 무기질골분無機質骨粉 덩이와 마그암프 K를 난분 위에 수북하게 올려놓고도 그래도 아쉬움이 남아 무기질無機質 희석비료稀釋肥料를 급수給水 시마다 끼얹어야 직성이 풀리는 과욕파過慾派의 난인蘭人들이 있다.

이런 사람들을 과잉정성過剩精誠에 치우친 '극성형極盛型'이라 명명하면 재미있는 표현이 될지 모르겠다. 요람搖籃 속의 아기를 기르듯 너무 신경을 집중하니 말이다.

나도 이러한 부류에 속하는 것 같다. 원래 군자君子란 탈속脫俗의 경지境地에 있는 것이므로 고기반찬이나 예쁜 여인을 준다고 해서 혹하는 일이 없다. 난도 마찬가지인 것 같아 명품名品이 라고 하여 너무 관심을 갖고 손이 자주 가면 실패를 면치 못하 는 일이 허다許多하다.

이와 반대로 제멋대로 자라게 팽개쳐버리는 유형類型이 있다.

살아있는 것이니 목숨은 질긴 법인데 알아서 하겠지 하는 두 툼한 배짱이다.

(86. 9.)

알프스 개불란

벨지움에 유학 중인 김재도金在道 회원이 김경효金敬孝 고문에게 그림엽서를 보내왔다. 알프스에 자생하는 노랑 개불란의 사진이 실린 것이다. 우리나라의 개불란과 꽃 모양에 있어 큰 차이점을 가려내기 어려웠다. 눈 덮인 알프스에도 이런 것이 자생하다니 자연의 오묘함을 새삼 느꼈다. 그리고 어디를 가나 김 교수가 난을 사랑하는 마음에는 변함이 없는 듯 여겨져 존경하는 생각이 들었다.

발브를 소포로 우송해주면 이곳에서 시험 재배해 보겠노라는 편지를 부쳐놓고 생각하니 너무 무리한 요구를 한 것 같아 미안한 생각이 들었다.

기르던 난분들을 몇몇 회원들에게 맡기고 관음소심觀音素心

등 몇 분을 갖고 출국했는데, 지금 관음소심이 꽃망울을 터뜨려 청향淸香을 내어뿜고 있다는 사연을 전해왔다. 빨리 공부를 마치고 돌아와 그리운 회원들과 어울릴 날이 몹시 기다려진다.

(87. 11.)

과보호 폐단

귀한 집 자식일수록 부모의 보살핌이 지나쳐 자립 능력을 잃고 쓸모없는 인간으로 자라나는 경우가 있다.

난蘭을 기름에 있어서도 마찬가지인 것 같다.

환경에 따라 때맞추어 물을 주고 비료를 주고 농약을 쳐도 무엇이 모자라는지 남의 난처럼 윤택함을 맛볼 수 없어 안타깝기만 하다.

수입 난석과 마사磨沙와 하이드로볼hydroball을 권위자들의 이야기에 따라 적당히 배합하여 심었건만 뿌리의 신장도 부진한 형편이다.

그런데 지난해 봄 산채에서 수집한 민춘란 한 분을 사무실에 갖다 놓고 물주기 등 관리 방법을 대충 여직원들에게 일러

두었다. 몇 달이 지나는 동안 젊은 직원들이 여러 번 분을 넘어뜨려 본래 심었던 식재가 쏟아져 양이 부족하여지자 마당의 흙을 섞어 엉망으로 심어 놓았고 급수도 생각나면 들어붓는 식이며 난분이 한 분 뿐이므로 농약은 생각할 수도 없는 노릇이고 사무실 구조상 통풍과 습도 등의 조건은 거론할 형편도 아니었다. 그러나 놀라지 않을 수 없는 일을 목도했다. 그해 10월 초 집에 있는 식재를 갖다가 그 문제의 민춘란을 분갈이 해주기 위해 분을 쏟아 보았다.

가락국수같이 탐스럽게 뻗은 춘란 뿌리가 분 속을 가득 채우고 있는 것이 아닌가.

도를 넘는 관수, 농도 높은 시비, 지나친 농약 사용이 오히려 난을 괴롭혀 성장의 저해 요인을 만들고 있음이 분명하리다. 물, 거름, 농약을 자주 주어야 빨리 자랄 것 같은 허욕 부리기를 자제해야 할 일이다.

난은 원래 군자인지라 쌀밥과 고기반찬을 많이 대접한다고 해서 좋아하는 것이 아닌가 보다.

(87. 11.)

S리의 중투호

　자생란의 원예품 개발을 위한 애란인들의 노력이 고조되고 있고 그 결과 상당한 성과를 거두고 있어 국란정립國蘭定立에 큰 기대를 모으게 하고 있다. 그러나 이러한 붐을 타고 농촌에서 발생되고 있는 부작용도 중시하지 않을 수 없다. 생업을 팽개치고 사계절을 채란에만 몰두하는 농민들의 숫자가 수백 명에 이르고 또한 산채품山採品을 어마어마한 가격으로 팔려고 하므로 일확천금을 노리는 사행심마저 조장하고 있는 것이다. 그리고 더러는 산채한 명품들이 간교한 외국인의 손에 넘어가기도 한다는 풍문이고 보면 통탄하지 않을 수 없다.

　지난 9월 몇몇 난우들과 더불어 K군 내 S리에 자생란을 수집해 놓은 사람이 있다는 소문을 듣고 찾아가 보았다. 백여 분의 춘란 변이종을 보유하고 있는 이십 대 후반의 청년이었다. 직접 산채도 하고 마을 사람들이 캐온 것을 입수하기도 했단다. 그 많은 난분 중 단연 눈에 확 들어오는 한 분이 있었다. 우리 춘란 중투호中透縞로서 넓고 긴 잎에 유백색의 중투호가 시원스럽게 그어져 있어 어느 누가 보아도 금방 반해버릴 정도였다.

홍정을 걸려는 우리 일행을 상대도 해주지 않는 오만한 태도였다. 그 집의 환경으로 보아 그 물건을 제대로 기를 수 있을까도 의문이었다.

돌아오는 동안 그 물건이 진정으로 난을 기를 수 있는 분의 손에 들어가 씨가 보존되어야 할 텐데 하는 안타까운 생각에 잠겼다.

(87. 11.)

어느 날의 산채

　궁지에 몰려 이러지도 저러지도 못할 처지가 된 순간이었다. 생각해 보아도 달리 방도를 찾아낼 수 없는 암담한 입장에 놓이고 말았다. 좀처럼 잊기 어려운 무진년의 3·1절, 정확히 오후 3시 30분에 있었던 일이다.

　이날도 일행은 청명한 공휴일을 그냥 보내기에는 좀이 쑤셔 전남 J군으로 크나큰 꿈을 안고 산채 길에 올랐다. 새벽의 어둠을 뚫고 달리는 대절버스에 몸을 싣고 제 나름대로의 명품을 꿈꾸며 부푼 기대로 차 있었다.

　오전 9시 40분에 목적지의 산 밑에 관광버스를 세우고 주위를 둘러보니 기름기 흐르는 소나무가 꽉 차있고 산세가 수려하기 그지없다. 차에서 내린 L형은 기지개를 켜며 "이런 곳에서 중투를 뽑아내지 못하면 산채를 그만두어야지" 하고 자신에 찬 일성을 내어 뱉는다.

뿔뿔이 헤어져 입산을 하여 서너 시간을 헤매었으나 항상 겪는 일이지만 눈에 띄는 명품은 없었다. 여기저기 파헤쳐 그냥 팽개친 남채꾼들의 횡포 현장을 또 목격하게 되었다. 처참한 도륙의 마당이나 다름없는 살풍경이었다. 난을 캐러온 것이 아니고 이들을 일일이 다시 심어주러 온 꼴이 되고 말았다. 맥이 빠져 더 이상 걸을 수 없었다. 모든 것을 포기하고 하산하여 소주나 한 잔 해야겠다는 생각으로 산 아래로 내려와 보니 나보다 먼저 산채를 포기하고 H형 등 몇몇 사람은 잔디밭에 둘러앉아 어디서나 누구나 즐거워하는 고스톱 판을 벌이고 있었다. 산채 길에도 이젠 동양화가 필수 도구가 된 것이다. 나의 돈은 먼저 본 사람이 임자라는 말이 있고, 「가모會會長」의 애칭까지 붙어있는 나로서 한 자리 끼어들지 않을 수 없는 노릇이었다.

불과 몇 분 후에 닥칠 고뇌의 순간을 예측하지 못한 채 화기애애한 분위기에 휩싸이고 말았다. 고스톱의 열기가 무르익으려는 순간 우리들이 앉아 있는 곳으로부터 약 200미터 되는 곳에서 "불이야" 하는 소리가 들렸다. 산불이 난 것이다. 시커먼 연기가 하늘에 솟고 불길은 마침 약하게 불어오는 바람을 타고 산 밑에서 정상 쪽으로 내달리고 있었다. 우리 일행은 현장으로 뛰어갔다. 20대의 대학생 풍의 젊은이 세 사람과 서너 명이나 될까 하는 동네 사람들이 치솟는 불길을 잡기 위해 소나무 가지를 꺾은 것으로 필사적으로 불끄기 작업을 하고 있었는데, 도저히 진화되기에는 역부족으로 불가능에 가까운 것으로 여겨졌었다.

그러나 우리 일행까지 합세하여 인원은 20여 명으로 늘어났고, 곧 동네에서 지원 인원까지 추가되어 40여 분만에 어렵게나마 진화하는 데는 성공했다. 그러나 불을 끄면서도 머리에 꽉 차오는 불안감을 가눌 수 없었다.

산불이란 산에 오른 사람이 일으키기 마련이고 그날 산에 오른 사람은 우리 일행들뿐이니 아무리 우리들이 결백하다고 한들 그것을 믿어줄 사람이 하늘 아래 누가 있겠느냐 말이다. 암담한 노릇이었고 도저히 빠져나갈 수 없는 궁지에 놓이고 말았다.

진화가 거의 끝날 무렵 군청 산림과장이 직원들과 진화 인부들을 이끌고 현장에 당도했다. 그날이 공휴일임에도 그런 산골짜기까지 즉시 기동성 있게 출동하는 J군 산림당국의 비상근무 태세에 경탄하지 않을 수 없었다.

그러나 우리들의 입장은 더욱 난감하게 된 것이다. 오후 4시에 출발하게 되어 있었던 우리의 버스는 동네 사람들과 산림과 직원들의 요청으로 출발을 제지당한 것이다. 가장 명백하고 확실성 있는 실화 용의자로 낙인이 찍힌 것이었다.

일행 중 일부는 버스 속에서 거의 탈진 상태로 앉아 있고 인솔자 격인 H형은 산림과 직원들을 잡고 우리의 결백을 호소하였지만 "처녀가 어린애를 낳은 꼴"처럼 되어 설득력을 갖기 지극히 어려운 일이었다. 그렇지 않아도 타지에서 몰려와 난을 캔답시고 산림 훼손에 가까운 행위를 일삼는 무리들을 언짢게 여기던 주민들이 이런 일에 어찌 우리를 예쁘게 볼 것인가. 산에서 엄마 아빠 옆에서 이쁘게 자라나는 것을 캐어다가 좁은 분盆 속에 억지로 쑤셔 넣어 속박하여온 우리들의 자연역행적인 죄과에 대해 드디어 오늘 심판받는 기회가 온 것이라고 하는 어처구니없는 생각도 해 보았다.

그러나 하느님은 죄 없는 사람을 벌하는 것을 용납하지 않는가 보다. 생각지도 않던 기적이 일어난 것이다. 마침 산불이 일어날 때 들에서 일하던 한 동네 사람이 발화 현장을 목격했었고, 이 사람이 그야말로 공정하고 신성한 증언대에 올랐다. 실화범은 우리와 함께 불을 끈 후 그때는 이미 뒤꽁무니를 빼고 사라져버린 대학생 풍의 세 젊은이들이었음을 밝힌 것이다. 이들이 산 밑에서 불장난을 하다가 산불을 일으켰다는 것이다.

눈물이 글썽할 정도로 고마운 노릇이었다. 순간 우리들은 실화범에서 산불 진화작업 유공자로 위치가 급선회되고 말았다. 우리들을 범인으로 단정하고 차가운 눈길을 보내던 동네 사람들의 얼굴에 계면쩍은 그림자가 드리워지고 죽은 듯이 조용하던 우리들의 버스 속에서도 모두들 입을 열고 떠들어대는 말소리가 들리기 시작한 것이다. 크나큰 분위기의 변화가 몰아친 것이었다.

드디어 서울로 가야할 버스가 시동을 걸었다. 산림과장이 우리들 버스에 올라왔다. 진화 작업에 솔선 참여하여 주어 고맙다는 정중한 인사말이 있었다.

새장에서 풀려난 종달새와 같이 가볍게 그리고 높게 날고 싶은 심정이었다. 아무 것도 캔 것이 없는 빈약한 산채지만 결과적으로는 더 큰 많은 것을 배운 값진 나들이였었다.

버스 옆자리에 앉은 K형이 나의 얼굴에 그을음이 묻었다고 이야기해 준다. 나는 손바닥으로 얼굴을 문지르며 크게 한 번 웃어보았다.

(88. 4.)

채궁옹의 후예

나는 어느 누구 못지않게 채란採蘭을 좋아한다. 이순耳順의 나이를 바라보면서 지칠 줄 모르고 젊은 사람들 사이에 끼어 거의 매주 산을 누빈다. 명품을 캐겠다는 욕심에서가 아니라 그곳에 가면 바닷바람이 있고 풋풋한 송림松林의 내음이 있고 여기저기 흩어져 있는 춘란春蘭이 있어 그곳을 살피는 것이 한없이 좋아서이다. 산에서 난蘭을 찾노라면 모든 잡념이 없어지고 무아無我의 경지에 몰입沒入하고 만다. 그러나 막상 대여섯 시간을 헤매다가 빈손으로 산을 내려올 때는 속된 본성이 드러나 무수확에 따른 서운함을 느끼곤 한다. 지난 산채 시즌만 해도 10월부터 5월까지 거의 매주를 다녔으나 축입蹴込과 소심素心 몇 촉을 얻었을 뿐이다. 그럼에도 주말이면 좀이 쑤셔서 배겨날 수가 없다.

십여 년 전 제주한란齊州寒蘭 한 분을 선물로 받았다. 난에 대하여 문외한이었던 때였지만, 그 한란이 예사로이 마음을 끄는 것이 아니었다. 꽃대도 달리지 않았으나 반수엽半垂葉의 엽자葉姿가 나를 매료魅了케 했고 거실에 두고 넋 나간 사람처럼 바라보곤 했었다. 지금 생각해보면 나에겐 난을 할 수 있는 끼를 선천적으로 타고 난 것이라는 어설픈 생각을 갖게 된다.

나의 조상은 원래 지금 서울의 동소문東小門 안에 살다가 조선 중종조中宗朝 때 16대 조부祖父 휘諱 훈자薰字 삼 형제 분이 기묘사화己卯士禍를 피하여 경상도 안동 땅으로 낙향落鄕을 하게 되었다. 삼 형제 분이 모두 약관弱冠에 초시初試까지 거치셨고 사촌四寸이 좌의정左議政을 지내신 호號 동고東皐 휘諱 명자蓂字이시니 출사出仕 길에 오를 수도 있으셨지만 전원의 낭만을 찾아 예향禮鄕으로 알려진 안동安東을 찾으셨던 것이라 생각된다. 낙향하여 지은 입구자[口] 형 기와집이 480년이 지난 지금까지 지방문화재地方文化財로 지정되어 보존되고 있고 이 집이 나의 생가生家인 것이다. 또한 낙향하실 때 지으신 할아버지의 칠언절구七言絶句가 아직까지 전해지고 있다.

양방혼야이성풍跟踉昏夜已成風 하사기신대별중何事寄身大刪中

부세공명비소락浮世功名非所樂 막여남하채춘궁莫如南下採春芎

이것을 해석하여 보면 다음과 같다.

어두운 밤(혼탁한 세상)에 허둥지둥 뛰어다니는 것이 이미 풍조를 이루었으니,
어찌하여 한양 가운데 몸을 의지하여 살 것인가.
덧없는 세상의 공명功名은 즐기는 바가 아니니,
남쪽 지방으로 내려가 향기 나는 궁궁이(약초의 일종)를 캐며 사는 것만 못하리.

이 얼마나 시속時俗을 떠나 향리에 묻혀 글을 읽고 자연自然과 더불어 살겠다는 사림士林의 정신이 듬뿍 담긴 글월인가.
후손된 입장에서 눈시울이 뜨거워지고, 오늘에 사는 모든 이에게 교훈을 주는 바가 크다고 여겨진다.
부지런히 날뛰어도 먹고 살기 힘 드는 이 어려운 세상에 한 포기의 풀에 지나지 않은 난蘭에 미쳐서 신들린 사람처럼 날뛰는 나의 몰골은 스스로 생각해도 한심스럽기 그지없다.
그러나 이것은 나의 조상으로부터 물려받은 아니 채궁옹採芎翁으로부터 받은 핏줄에 연유한 것이라 생각되어지고 한 치의

후회도 있을 수 없는 자랑스러움이라 자위해 본다. 그리고 나는 계속 뛸 것이고 힘이 있는 날까지 산을 오를 것이다.

더위가 최고 기승을 부리던 지난 8월 8일에도 아란회의 L. S. C. 회원 등 극성파들이 산채를 가자고 제의해 왔다. 미리 한탕 하겠다고 직장의 휴가 일정도 나와 같이 잡아 놓았으니 거절할 방법이 없는 노릇이고, 아니 사실은 그런 제의를 내 편에서 기다렸는지도 모를 일이다. 우리는 일치된 의견에 따라 정읍井邑 행을 했다. 그러나 지금이 어느 때인데 숲속을 헤맬 수 있단 말인가. 결과는 자명自明했다. 수확은 전무全無하고 땀만 1인당 1되 정도 흘리고 돌아오는 고속버스 속에서 내가 한 말이다.

"복 중에 산채를 다닌다면 남이 웃을 것이니 절대 소문내지 말라"고.

(89. 8.)

아쉬운 우리 난 용어

어느 정부 부처 월간 기관지의 편집장이 얼마나 끈질기게 원고 청탁을 하는지 거절하지 못하여 매월 난 기르는 법을 연재하기 시작한 지 반 년이 지났다. 나를 무슨 난의 대가라고 원고 청탁의 대상으로 삼았다는 자체가 눈물겨울 정도로 고마울 뿐만 아니라 기왕 시작한 김에 앞뒤를 가려 구색을 갖추자니 일 년여는 끌어야 매듭이 지어질 듯하다. 이 글을 쓰면서 여러 가지 느낀 점이 많다.

나 자신이 난 전문가도 아니요, 그렇다고 체계적인 경험을 쌓은 것도 아니기 때문에 별 수 없이 시중에 나와 있는 서적들을 참고로 하고 그래도 모르는 점은 애란인 선배들께 전화를 걸어 의견을 모아 원고지를 메꾸는 방법 외에는 별도리가 없는 노릇이다. 원고를 써가는 과정에서 제일 안타까운 것이 우리의 고유한 난 용어가 없다는 것이다. 일본식 난 용어를 원용하여 독자에게 설명하자니 석연치 못한 감이 한량없다. 현재 아란회와 자생란 보존회에서 나름대로의 우리말 난 용어를 제정하여 구성원들끼리 통용하고 있으나 이것은 어디까지나 그 모임의 울타리를 뛰어넘는 공인 용어가 될 수는 없는 일이다.

이제 동양란 연합회가 발족되었고 동 연합회의 사업 중 난 용어의 제정이 포함된 것으로 알고 있어 기대하는 바가 크다. 그러나 동양란 연합회는 난 등록 업무 등 갖가지 주요한 사업에 앞서 가장 시급하고 긴한 사업이 난 용어의 제정임을 인식하고 우리 난계에서「중투中透」,「복륜覆輪」등 왜색倭色 문자들을 하루 바삐 퇴치시켜 주기를 바라는 마음 간절하다. 또한 난 용어를 제정하는 작업에 있어서는 위 두 난회蘭會에서 이미 사용하는 용어를 대폭적으로 포용하는 것이 좋겠고, 이들을 전연 도외시하고 전혀 새로운 이름들을 창출해내는 경우 용어의 이중화 현상을 빚어 걷잡을 수 없는 혼란만을 자초할 것으로 여겨진다.

양 난회에서 사용하는 용어를 비교하여 보면, 산반, 서, 복륜은 '빛살무늬', '안개무늬', '갓줄무늬'로써 같으며, 축입을 '끝빛무늬'와 '햇살무늬'로, 호縞를 '속살무늬'와 '줄무늬'로, 조를

'끝테무늬'와 '삿갓무늬'로, 호반虎班을 '얼룩무늬'와 '호랑이무늬'로, 사피를 '그물무늬'와 '깨알무늬'로, 중투를 '속빛무늬'와 '초롱무늬'로, 중압을 '큰갓속빛 무늬'와 '왕초롱무늬'로 각각 쓰고 있어 심의 과정에서 공통분모를 찾는 일이 그리 어렵지 않을 것 같다.

(91. 봄)

백인백태

　누가 나에게 왜 난을 하느냐고 묻는다면 선뜻 한 말로 대답하기 어려울 것 같다.

　그러나 분명한 것은 산채 하는 재미로 난을 한다는 것이 그 대답 중의 한 부분임은 자명할 것 같다. 산채를 시작한 지 십 년이 가까웠으니 채란을 위해 산에 오른 것이 야생란 채취를 포함하여 200여 회는 실히 되지 않을까 생각된다. 하고 많은 난회蘭會 중에서 우리 아란회我蘭會처럼 산채를 즐기고 채란에 적극적인 모임도 드물 것으로 보인다. 십 년 세월 동안 아란 가족들의 산채에 얽힌 갖가지 재미있었던 일화들을 엮어 아란회 산채백서 같은 것을 발간한다면 제법 큰 단행본이 됨직도 할 것이다.

　그러나 이젠 우리 아란회도 점차 세대교체가 이루어지고 있고 행여나 남에게 뒤질세라 열을 올리던 원로 회원들도 자연의 연륜은 거역할 수 없음인지 이제 열기가 식어가는 듯함을 볼 때 서글픈 생각이 든다.

매주 거르지 않고 산에 오르던 80년대 중반의 아란회 산채 멤버들은 스타일도 가지가지로서 백인백태百人百態라 할 수 있었다.

남을 헐뜯기 위해서가 아니라 옛날을 회상하며 함께 웃어보자는 뜻에서 여기 우리 회원들의 산채 스타일을 유형별로 분류해 보기로 한다.

깊은 산에 들어가면 유달리 겁이 많아 "야호"를 연발하고 꼭 일행 중 한 사람을 옆에 붙어 있게 하는 '비서대동형祕書帶同型'엔 홍승표洪昇杓.

장끼가 잔솔밭을 기어가듯 고개를 숙여 넓지 않은 범위를 샅샅이 뒤지는 '저두탐색형低頭探索型'엔 김경효金敬孝, 김영훈金永訓, 이덕곤李德坤, 오도열吳都烈.

유유자적하게 느긋한 자세로 산을 즐기는지 난을 찾는지를 분간하기 어려운 '김립주유형金笠周遊型'엔 배진수裵振秀, 김익태金益泰, 이병우李秉瑀, 김종갑金鍾甲, 전광환全廣煥.

정독보다는 속독을 위주로 하여 나는 속도로 산을 주름잡는

'돌격축지형突擊縮地型'엔 이덕일李德一, 송기영宋基英, 배종권裵種權, 서칠석徐七錫, 최광식崔光植, 황영호黃永浩, 황규태黃圭泰.

민춘란 몇 포기로 배낭을 채우고 돌아오는 차 속에서 애꿎은 소주만을 축내는 '귀로만취형歸路滿醉型'엔 배인한裵仁漢, 김일현金一鉉, 장영섭張榮燮, 그리고 필자.

삼사 년 전만 하여도 산에 올랐다 하면 빈손으로 내려오지 않는 '백전백승형百戰百勝型'엔 엄기천嚴基天, 배덕규裵德奎, 김재도金在道, 석명복石明福.

백전백승형의 회원 곁을 따라 다니다가 퇴발브(back bulb) 얻기를 즐겨 하는 '가구선호형假球選好型'도 있으나, 이 부류에 속하는 회원의 이름은 차마 밝힐 수 없어 약略하기로 한다.

산에는 명품이 바닥난 데다가 시력도 떨어져서 그런지는 모르지만 나는 근 2년 동안 축입蹴込 한 촉 캐어보지 못했다. 그러나 나는 계속하여 산채 길에 오른다. 8월의 복더위에도 선운사를 찾았고 9월과 10월에도 정읍, 고창 등지를 헤매었다. '공친당空親堂'이란 클럽 이름까지 만든 우리 일행은 그저 산이 좋고 소나무 냄새와 신선한 공기를 마시면서 민춘란 구경하는 것에 매료되어 갈 때나 올 때나 빈 배낭을 메고 산채 아닌 산채를 다니고 있는 것이다.

(91. 봄)

놓쳐버린 주사소

　자생란을 시작한 지 얼마 되지 않던 80년대 초기에는 산채에 매혹되어 거의 미친 상태에 빠졌었다고 해도 지나친 표현이 아니었다. 주말만 되면 가까운 난우들에게 전화질을 하여 산채에 동행하기를 졸라댔고 거의 한 주도 거르지 않고 채란 길에 오르곤 했었다. 무슨 뚜렷한 성과를 올리고 돌아오는 것도 아니면서 이렇게 설쳐대는 나의 몰골을 가까운 난우들은 오히려 이상한 눈으로 보기조차 하였었다. 내가 만약 직장이 없었다면 배낭을 메고 주중에도 실컷 채란을 할 수 있었을 것을 하고 안타까워할 정도였으니 말이다.

　84년 4월 초의 어느 일요일로 짐작된다. 전날 몇몇 난우들을 아무리 감언이설甘言利說로 꾀어도 이 핑계 저 핑계를 대며 산채

가겠다는 사람이 없었다. 그냥 한 주일을 뛰어 넘기에는 워낙 열기가 대단한지라 아니면 병이 날 것 같았다. 할 수 없이 일요일 오전 5시 혼자서 배낭을 둘러멘 채 무작정 고속버스 터미널로 나갔었다. 그곳에서 꿈에도 생각지 못했던 나와 같은 외톨이 산채꾼을 만나게 되었으니 S투자금융의 B형이었다. 그렇게 반가울 수가 없었고 마치 천군만마를 얻은 기분이었다. 그도 집에서 주일을 보내기가 무료하여 목적지도 없이 배낭을 메고 나왔노라고 했다.

잠시 두 사람이 행선지를 상의한 결과 정읍의 내장산 쪽으로 의견의 일치를 보았고 결국 정주행 고속버스에 몸을 실었다. 내장호의 수문 쪽 산을 타기 시작한 것이 오전 9시경이었다. 양지바른 곳은 춘란 꽃이 만개해 있었고 그늘진 곳은 아직 개화가 덜 된 상태였다. B형과 나는 멀리 떨어져 탐란을 하면서 "야—호"를 주고받으며 몇 시간을 헤매었다. 나는 짙은 자화 다섯 촉을 채취하여 의기양양한 가운데 몇 발자국 안 가서 또 복륜覆輪 세 촉을 얻는 행운을 안게 되었다. 그 후 이듬해에 틀림없다고 생각했던 그 자화는 민춘란 꽃으로 변해버렸고 어느 한 날 산에 갔을 때 도로 묻어주었지만….

오후 1시경 B형과 나는 어떤 산등성이에 마주치게 되었는데 그는 소심 밭(?)을 만나 소심 대여섯 그루를 캐었는데 스무 남은 촉은 족히 되어 보였다. 채란 경력이 얼마 되지 않는 그가 흐뭇해하는 모양이 퍽이나 보기가 좋았다.

그는 또 등산복 윗주머니에서 꽃대 한 개를 끄집어내어 나에게 내밀면서 꽃 색깔이 이상해서 뜯어 왔노라고 했다. 그로부터 꽃을 넘겨받은 나는 깜짝 놀라고 말았다. 진한 붉은 화경에다 꽃의 설판은 한 점 여백도 없이 진한 핏빛 붉은 색깔로 물들어 있지 않은가! 이른바 주사소朱砂素였던 것이다. 왜 캐어오지 않았느냐고 다그치자, 그의 대답이 어처구니없었다. 여러 촉인데 난 잎은 토끼가 다 뜯어먹었고 잘려진 난 떨기의 한가운데에 꽃대 한 개가 촛대처럼 서 있었는데 잎도 없는 난을 왜 캐느냐는 것이었다.

그 시간 이후부터 우리 두 사람은 토끼 뜯어먹은 그 문제의 난을 찾아 헤매었다. 그의 기억을 되살려가며 아무리 찾아도 오전 내내 그가 헤집고 다닌 곳에서 꽃대도 없고 토끼 뜯어먹은 그것을 찾는다는 것이 쉬운 일이 아니었다. 두 시간 이상 땀만 흘리고 허탕 칠 수밖에 없었던 우리는 어처구니없는 쓴 웃음만을 남긴 채 돌아오는 차 시간에 쫓겨 하산하지 않을 수 없었다. 그 후에도 B형은 그곳을 몇 차례 찾아 갔었고 그 이듬해 춘란 꽃이 필 때에도 그곳을 찾았으나 그 주사소는 끝내 우리와의 인연을 맺어주지 않았다.

(92. 봄)

아란회의 색깔

    아란회가 고고의 소리를 낸 지도 어언 십 년이 되었다. 하나의 취미 모임이 이렇게 오래도록 지속되고 발전할 수 있다는 것은 구성원들의 수더분한 개성들이 무리 없이 융화되어 온 소산이 아닌가 하고 생각해본다.

    우리 회의 L형이 어느 날 술자리에서 모임에 색깔이 있다면 우리 아란회는 무슨 색이겠느냐는 조금은 이상하나 퍽 재미있는 질문을 느닷없이 해 왔다.

    "우리들 마음에 빛이 있다면 여름엔 여름엔~~" 하는 동요 생각이 들게 하는 질문이었다. 나는 즉시 대답했다. 우리 아란회는 박 색깔이라고~.

    시골 초가지붕 위에 아무렇게나 올려져서 적당히 자라는 둥

글고 모나지 않으며 순박하고 잘나지 않은 그 모습이 바로 우리 아란회의 색깔이라고 둘러댔다. 질문이나 대답이 정말 재미있었다고 떠들어대며 소주잔을 기울인 적이 있다.

어떤 사람이 우리 아란회를 보통사람들의 모임이라고 말한적이 있었다. 그 진의가 어디 있으며 왜 그런 표현이 나왔는지는 모를 일이나 몇몇 회원들은 이를 크게 불쾌해 한 적이 있었다. 우리 회의 회원 중에는 대학교수도 있고 변호사와 의사도 있다. 미국에서는 전통적으로 이 세 직업을 가리켜 단어의 끝글자를 따서 3R이라 하여 최고의 사회 저명인사로 대접하고 있는 것이다. 그러기에 우리 회를 보통사람만 모인 집단으로 절하하는 것은 걸맞지 않은 표현으로 생각되어진다. 비록 다른 모임처럼 재력이 있는 회원들은 드물다. 돈이 많아 비싼 난을 자주 사서 광(?)을 내는 사람은 없다. 그러나 순수한 취미에 집착하여 결코 교만하지 않은 순박성이 우리 아란회의 색깔이라고 자부해본다.

초창기의 회원들이 거의가 회를 떠나지 않고 쉼 없이 참여하고 있고 빼어난 명품은 없으나 정성 어린 전시회를 일곱 해 계속 열었으며 조촐한 회지도 통권 72호를 펴냈다. 이러한 것은 우리 아란회의 조용하면서도 밑바탕에 면면히 흐르는 저력의 소산이 아닌가 여겨진다.

매달 월례회에는 난 교환을 겸한 경매가 있어 더욱 흥취를 돋구어준다. 값싼 중국 춘란에도 경쟁이 붙는 천진스러움이 한결 돋보이고 소주 한 잔에 볼륨을 높이는 K교수와 몇몇 회원들의 밉지 않은 소란 부림이 회원간 친목을 오히려 부채질해 주는 느낌이다.

　아란회는 앞으로도 초가지붕 위의 박덩이 같이 시골 돌담 위에 매달려 결코 맵시에만 치우치지 않는 호박덩이 같은 순수한 색깔로 성장해나갈 것으로 여겨진다.

(92. 봄)

납회 이야기

　난을 가꾸며 같이 즐기는 난우 여덟 사람이 공친당空親黨이란 친목 모임을 만들어 서로 난에 대한 정보도 나누고, 같이 채란 採蘭도 하고 있다. 늘 산채를 다녀도 캐는 것이 없이 늘 공치는 패거리라 하여 모임 이름을 그렇게 정했다.

　그 해의 마지막 모임을 납회納會라 일컫고 반대로 첫 모임은 발회發會라고 말한다. 산채꾼들에게도 납회라는 말이 합당할지 는 모를 일이나 공친당의 오도열 총무가 당수인 나에게 5월 10 일에 납회를 갖자고 건의하여 왔기에 나는 흔쾌히 구두 결재를 한 것이다. 5월이 지나면 더위가 오고 잡초가 우거져 채란을 할 수 없기 때문이다.

　5월 9일 토요일 오후 현지에 내려가서 1박을 한 후 다음날 올봄 마지막 산채를 하고 돌아온다는 일정을 짰다. 여덟 사람의 당원에게 사방통문을 돌려 한 사람도 빠지지 않도록 당부했으나 오후 5시 중부고속도로 만남의 광장에서 인원을 점검한 바 황태규, 박종한 당원이 개인 사정을 빙자하여 불참하였음이 확인되었고 이들에 대해서는 사유의 타당성을 검토한 후 처리토록 당기위원장에게 지시하였다. 결국 여섯 사람이 두 대의 승용차에 나누어 타고 앞서거니 뒤서거니 달려서 저녁 9시에 다다른 곳은 내장산 뒤쪽 순창군 복흥면의 토종닭과 꿩고기를 주로 파는 식당들이 즐비한 갈재마을이었다. 그 중 한 집에 민박을 하기로 하고 배낭을 풀었다.

지난해 봄 그 집에서 소주 한 잔 했었는데 음식이 맛깔스럽고 정갈하며 주인의 인심이 좋을 뿐 아니라 예쁘장한 여종업원에 혹했던 어느 당원의 강력한 주장에 따라 서울서부터 아예 그 집을 점찍어 내려간 것이다.

고산지대의 맑은 공기가 허파를 시리게 하는 듯하고 계곡의 물 흐르는 소리가 어둠에 묻힌 초옥에 자리한 우리들을 무척이나 들뜨게 해 주었다. 토종닭 백숙과 향내 나는 산채를 안주로 하여 마시는 소주가 그럴 수 없는 정취를 안겨 주었고 참석하지 못한 두 사람이 측은하게 여겨졌다. 이러한 계제에 풍월한 수 없다면 어디 난을 좋아하는 풍류객의 체모가 설 수 있겠느가. 서투른 즉흥시로 한 수를 읊조리게 되었다.

　　　　가을에만 갈재인가 봄에도 좋은 것이
　　　　신록에 묻힌 계곡 단풍에 뒤질 손가
　　　　사철이 다 추경만 같아 갈재라 하였던가

　　　　세파에 찌든 무리 선경에 몸을 던져
　　　　산채山菜를 안주하여 소주잔을 기울이니
　　　　무엇이 부러우랴 가이 없는 이 신세가

　　　　언제나 공空치기에 이골 난 사나이들
　　　　빈손이면 별탈 나랴 온산이 내 난인데
　　　　동트면 앞산에 올라 살펴보면 그만이지

　　당수에 대한 예우를 한답시고 모두들 수작이라고 간지러운
찬사를 보내었다. 산에서 뽑아낸 더덕 뿌리처럼 거칠기 그지없
고 매만져 지지 않은 습작을 수작이라니 당치 않은 이야기였다.
　　오랜만에 별천지에 와서 소주 한 잔 하였으면 내일의 산채를
위해 그냥 고이 잘 일이지 제 버릇 개 못 준다고 그 누군가가
동양화를 챙기며 객기를 부리는 것이었다. 벽에 걸린 캘린더의
뒤쪽에 족보가 그려지고 마흔여덟 장에서 스물여덟 장을 제거
하는 작업이 눈 깜짝할 사이에 이루어졌다. 여섯 사람의 선수

들이 대망의 열전을 새벽 두 시까지 계속하였으며 결과는 당수에게 일방적으로 집중되고 말았다. 각자 비상금은 물론 총무가 갹출한 공동경비까지 나의 무릎 앞에 쌓인 것이다.

초등학교 다닐 때부터 수련한 실력을 여지없이 발휘한 것이다.

수면이 부족한 상태에서 아침 일곱 시 경에 일어나서 닭죽으로 식사를 하고 멀리 간들 별 수 있으랴 근처의 산을 뒤지기로 하고 여덟 시에 입산을 하였다.

서너 시간을 민춘란 구경으로 허비하고 나니 더 이상 움직일 수가 없었다. 벌써 잡풀이 돋아나서 탐란이 어렵고 더위까지 겹친 데다 각종 꽃가루가 사람을 괴롭히는 것이었다. 그러던 중에 나는 찔레나무가 군락을 이루고 있는 찔레 숲을 만났다.

어린 시절 시골서 자랄 때의 향수에 사로잡히고 말았다. 봄철에 마을 앞 개울가에 무성한 숲을 이루고 있는 찔레나무에 새 순이 돋아나면 소꿉친구들과 같이 그 찔레 순을 꺾어 먹고 놀던….

나는 완전한 동심으로 돌아가서 굵직하게 돋아나는 찔레 순을 뜯어 먹었다.

오십 년이 지난 지금까지 찔레의 맛은 조금도 변함이 없었다. 풋풋한 향기와 달착지근하면서도 담백한 맛이 일품이었다. 입 가장자리가 초록색으로 물들 정도로 뜯어 먹었다. 어릴 때 이러한 야생초를 먹은 것이 오늘날 나의 체력을 유지시켜주는 원력이 된 것이 아닌가 하는 생각을 하여 보았다.

언제나 공치는 것이 상식화된 무리들이 오후 한 시 약속 시간에 승용차 주차 지점에 모였으나, 유독 깜씨 전광환 당원이 또 늦장을 부려 기다리는 일행들을 초조하게 하는 것이었다. 약속 시간보다 20분이나 늦게 산에서 내려오는 그의 왼손에 신문지로 감은 물체가 들려 있음이 우리들의 시선에 감지되는 순간 모두에게 큰 기대감을 안겨 주었다.

그가 하산하여 의기양양하게 펼쳐 놓은 신문지 속엔 산태에 쌓여있는 물건이 있었으니, "야— 호다" 하는 탄성이 모두 입가에 쏟아져 나왔다.

두껍고 넓은 진 초록색 잎에 황색 호가 선명하게 들어 있는 것이었다. 싱싱한 두 촉에 가구경假球莖까지 네 개가 붙어 있으니 이런 물건이 큰길에서 멀지 않은 곳에 남아 있었다니 알다가도 모를 일이다.

한 시에 서울로 향발하려던 계획을 바꾸어 민박집에서 닭 삶고 꿩 잡아 다시 장원 턱을 얻어먹은 우리들은 만취된 상태에서(운전자 제외) 귀로에 올랐다.

돌아오는 차속에서 당수가 깜씨에게 한 경고성 발언은 "당신 그러다가는 공친당에서 제명이야!"

(92. 여름)

꽃 기다리기 8년

　난도蘭道는 군자도君子道라 말하고 있다. 난을 기르기 위해서는 허망하고 성급한 기대는 금물이다. 오직 은인자중隱忍自重하고 흐트러지지 않는 군자 정신이 난을 하는 마음가짐과 부합하는 데서 나온 말인 것으로 여겨진다. 더러는 난을 돈으로 생각하는 이들이 있다. 난의 개체가 지니고 있는 특성이나 우수성에 매료되기 이전에 그것이 어느 정도의 경제적 값어치가 있느냐를 먼저 계량하는 것이다. 올바른 난인이라면 한 떨기 민춘란에서도 고고한 기품을 읽을 수 있어야 하고 빼어난 군자 정신을 기려야 할 것이다. 난을 기르는 사람들은 무엇보다 참는 정신, 기다리는 마음, 성취를 위해 섣부른 조바심을 삭이는 마음가짐이 필요한 것이다.

우리나라 춘란을 보면 새 촉이 올라와서 성촉으로 완성될 때까지 4, 5개월이 소요되고, 5, 6월에 화아분화花芽分化가 되어 8월경에 꽃대가 분토 위로 올라와서 가을과 겨울을 지나 이듬해 3, 4월에 꽃을 피우기까지 10여 개월의 긴 역정의 나날을 지켜보며 기다리는 참을성이 필요한 것이다. 그래도 지루함을 잊은 채 하루하루를 살피며 기다리는 난인들의 마음은 향기를 터뜨리는 벅찬 순간을 위해 인고의 숨결을 죽이고 정성을 쏟는 바로 그것인 것이다.

84년의 12월 눈이 내린 후 영하 십여 도의 강추위가 계속되던 어느 일요일에 몇몇 극성파 난우들과 더불어 정읍의 신월리로 채란을 떠났다. 오전 내내 온 산을 헤매었지만 눈 속의 탐란인데다가 혹한으로 별다른 성과를 얻지 못하였다. 점심때가 되어 허기를 메우기 위하여 눈 녹은 양지바른 곳에 앉아 배낭 속의 김밥 꾸러미를 꺼내었다. 싸늘하게 식은 것이지만 보온병에 넣어온 더운 물과 같이 먹을 수밖에 없는 노릇이었다. 누가 봤다면 완연한 거지 몰골이었을 것이다. 그러나 스스로 좋아서 택한 일이니 누구를 탓할 수 있으랴. 어느 다른 경우에서 이러한 식사를 한다면 틀림없이 소화불량으로 배탈이 났을 일이지만, 운동 끝인지라 무슨 문제가 있을 수 없는 것이었다.

점심을 먹고 잠시 앉은 채로 쉬고 있는데 십여 미터 앞에 입엽성立葉性 춘란의 큰 떨기가 눈에 들어왔다. 잎 자세가 빳빳하고 윤기가 유난하다. 호기심에 가까이 가서 보니 잎 매무새가 뛰어나 관상가치가 빼어나 보였다. 으레 습관이 되어버린 나는 꽃대를 따서 꽃을 까보는 일을 결缺하지 아니했다. 꽃을 까보는 순간 나의 입에서는 "심봤다"는 고함이 터져 나왔다. 꽃의 혓바닥에 한 점의 색깔도 들지 않은 소심素心이었던 것이다. 그때까지만 해도 채란길에서 소심을 발견한다는 것은 흔히 있는 일이었으나 잎 매무새가 이렇게 좋고 서른 촉의 큰 떨기 소심이란 아주 드문 일이었기 때문이었다. 입엽성인 데다가 광엽廣葉이면서 후엽厚葉이었다. 또한 에메랄드를 닦아 놓은 듯한 광택이 잎 전체에 넘쳐흐른다.

그러나 옥에도 티가 있는 법이라 했거니와 이 귀중한 것이 꽃대가 많이 달리고 쉽게 달리는 다화성이라면 얼마나 좋으련마는 서른 촉의 큰 떨기에 적어도 십여 개의 꽃대는 있어야 하련만 겨우 두 대의 꽃대가 붙어있을 뿐이니 종자 자체가 꽃과는 인연이 먼 것인지 모를 일이다. 두 대의 꽃대 중 채취 시에 한 대를 따 보았고 한 대는 다음해 봄에 꼭 꽃을 피워야 한다고 귀가 시에 애지중지 관리했으나 집에 돌아와서 분에 심기 전에 뿌리를 정리하고 묻어 있는 흙을 수돗물로 씻어내는 과정에서 떨어져 나가버렸으니 다음해에 꽃구경을 하겠다는 꿈은

물 건너 가버리고 말았다.

큰 떨기의 소심, 어디까지나 큰 떨기임에 가치의 초점을 두어야지 하고 마음먹은 나는 신월소新月素라고 명명하여 이것을 작은 시루(떡시루)에 심었다. 이삼 년 후면은 오십 촉 정도로 촉수가 불어나고 꽃이 소담스럽게 피어나면 전시회에 출품하여 자랑해야겠다고 마음먹었다.

그러나 경험 부족에서 나온 발상임을 다음해에야 깨닫게 되었다. 잎 끝이 타고 퇴촉이 늘어나고 난이 건강미를 잃어가기에 분을 쏟아보니 뿌리가 크게 상해있고 큰 떨기를 그대로 심은 데서 오는 성장 장애현상을 발견한 것이다. 자생지에서야 사오십 촉의 큰 떨기도 건강하게 자랄 수 있겠지만 화분에 심을 때에는 스무 촉 이상은 무리일 수밖에 없다는 것을 몰랐기 때문이었다. 이것을 뽑아내어 썩은 뿌리는 잘라내고 다섯 떨기로 갈라서 소독을 한 후 다섯 분에 나누어 심었다.

그러나 다음해에도, 또 그 다음해에도 촉수만 늘어날 뿐 꽃대는 달리지 않았다. 잎이 이렇게 좋은데 꽃이 그렇게 귀한 품종이 있을까 싶어 안타까울 뿐이었다. 가인佳人은 박명薄命이라 했듯이 워낙 잘 생겨 씨가 귀한 것인지 모른다는 생각도 해보았다. 난실 중에서도 통풍이 좋고 일조도 좋으며 습도도 높은 VIP석에 나란히 모셔두고 수년이 지났으나 주인의 애타는 심정을 늘 외면하는 매정한 것이었다. 해마다 꽃대가 분토 위로 모습을 드러내는 8월이 되면 아침저녁으로 이 분들을 살펴보았으나 8년 동안을 한결같이 나를 실망시켜 왔을 뿐이었다.

그러나 올해 8월의 어느 한 날, 다섯 분 중 한 분, 여남은 촉으로 늘어난 어느 한 분에서 하얀 꽃대 한 개를 찾아낸 것이다. 굵직하고 토실토실하게 내민 모양이 퍽이나 실하게 보였다. 8년 동안을 살피며 기다리던 꽃대가 드디어 솟아오른 것이다. 알루미늄 호일로 화통을 만들어 씌우고 내년 3월 꽃필 때를 또 기다려 보아야겠다. 꽃은 대륜大輪이고, 꽃 매무새는 평견平肩이었으면, 그리고 화색은 백화였으면 좋겠지, 아니 잎 맵시로 미루어 두화豆花 소심이 나올지도 모를 일이다. 대망의 내년 3월을 위하여 참고 기다려보자. 인고의 8년에 비하면 몇 달이 문제가 되랴.

그때 꽃이 망울을 터뜨리는 날, 가까운 난우蘭友들을 초대하여 소주 파티라도 벌이고 긴 해를 가슴조이며 기다리던 그 많은 나날들을 위해 축배를 들어야겠다.

(92. 가을)

난인십계

이 세상에는 "○○를 하여라"라는 작위作爲적인 훈구訓句와 "○○을 하지 말라"는 부작위不作爲적인 경구警句들이 많다. 그러나 작위의 훈구보다는 부작위의 경구가 더욱 흔하고 받아들이는 측면에서 볼 때 훨씬 더 부담을 주는 효과가 있는 듯하다.

석가모니가 지장경地藏經에서, "일체중생미해탈자一切衆生未解脫者 성식무정악습결업性識無定惡習結業(모든 중생들이 해탈을 얻지 못하는 것은 성식이 안정되지 못하여 흔들림이 많아 악한 습관으로 업을 짓고)"라고 설법한 바와 같이, 인간의 행위가 착하면서도 나쁜 쪽으로 기우는 경우가 많으니 교훈적인 것보다는 잘못을 막는 경구가 더 필요한 것일 줄 믿는다.

이러한 연유로 불교와 기독교에서는 각각 십계十戒와 십계명

十誡命을 두고 인간이 나쁜 길로 빠지는 것을 경계하고 있는 것이다.

　불교의 십계를 보면, ① 살생殺生, ② 투도偸盜, ③ 사음邪淫, ④ 망어妄語, ⑤ 음주飮酒 ⑥ 식육食肉, ⑦ 사견邪見, ⑧ 훼毁, ⑨ 방방謗, ⑩ 기광欺誑 등 열 가지를 정하였다. 기독교에서도 십계명이라 하여, ① 다른 신을 섬기지 말 것, ② 우상을 섬기지 말 것, ③ 여호와의 이름을 망령되게 하지 말 것, ④ 안식일을 지킬 것, ⑤ 어버이를 공경할 것, ⑥ 살인하지 말 것, ⑦ 간음하지 말 것, ⑧ 도둑질하지 말 것, ⑨ 거짓말하지 말 것, ⑩ 탐하지 말 것 등을 들고 있다. 석가나 그리스도는 성인으로서 나쁜 길로 빠지기 쉬운 인간을 구제하기 위해 부작위의 계율을 들어 착한 길로 인도하려 애쓴 것이리다.

　어느 날 난우 J형이 모든 일에는 경계하고 주의하여야 할 점이 반드시 있는 것이므로 난을 기르는 데도 이러한 점이 있을 것이므로 난인십계蘭人十戒 같은 것을 만들어 보면 유익할 것이라는 의견을 내어 놓았다. 어떤 면에서는 아주 재미있고 기발한 생각임에 틀림없다.

　그러나 난 기르기의 도사가 된 난성蘭聖이 아닌 이상 감히 난인십계를 만들어 함부로 읊조릴 수는 없는 노릇이다. 그러나 철부지 공친당空親黨의 동아리들이 난상토론 끝에 난인십계를 마련하였다. 주제넘고 어릿광대의 유희처럼 얼토당토 아니한 구석이 있으나 여기에 감히 옮겨본다. 기나긴 난도蘭道의 입구에 겨우 서 있는 신출내기들의 낙서짓거리로 보아 그저 웃어주고 질책은 없기를 바란다.

첫째, 난을 돈으로 가늠하지 말라. 돈을 좋아하는 사람은 주택복권에 의존할 지어다.

둘째, 너무 부지런하지 말라. 대할 때마다 물을 주고 궁금하면 쏟아보고 남이 좋다는 것 다 따라하다 보면 어디 난이 배겨날 도리가 있어야지.

셋째, 자만하지 말라. 저 혼자만 잘 기르는 체 떠드는 사람들은 초심자인 남의 난까지 망치게 한다.

넷째, 과보호는 금물이다. 귀한 자식일수록 험하게 기르라는 옛말이 있으니 너무 애지중지하는 것이 탈이 잘난다는 것을 알아야.

다섯째, 비료는 보약이 아니다. 군자는 고기반찬을 탐하지 않는 것이니 지나친 비료는 해를 자초하는 것임을 명심하여야.

여섯째, 농약을 너무 믿지 말자. 건강은 건강할 때 지켜야 하는 것, 일단 병에 걸렸다면 편작扁鵲이 열이라도 처방이 없는 것, 농약은 예방적인 효과밖에 없음을 알지어다.

일곱째, 자연의 이치에 역행하지 말라. 인공적인 화아분화花

芽分化를 촉진하는 일과 난을 인큐베이터 안에 가두어 겨울잠도 재우지 않고 기르는 일은 자연의 순리에 역행하는 일, 순천자順天者는 존存하고 역천자逆天者는 망亡한다는 맹자孟子 말씀을 알지어다.

여덟째, 난의 노예가 되지 말라. 취미 이상을 넘지 말라. 난이 사람 위에 군림해서는 처참한 노릇이기에.

아홉째, 분수盆數를 자랑 말라. 너무 많은 분을 가지면 고루 보살필 수가 없다. 없는 집에 자식새끼 많은 꼴과 흡사하게 되나니.

열째, 난 위에 난 없고 난 밑에 난 없다. 민춘란이면 어떠하랴, 정성껏 기르고 가꾸는 데서 난도蘭道의 참뜻을 찾아야.

(92. 가을)

고사한 '짜보'를 곡함

    키가 크지 않은 단엽종短葉種 난을 '짜보'라 부른다. 누가 우리 회원 중 3대 '짜보'로 P 회장, H 회원, L 회원을 거명하며 우스갯소리를 하는 것을 들은 바 있었기에 그저 애칭 정도로 생각하며 세 사람 중 한 분에게 '짜보'라는 호칭을 썼더니 불편한 심기가 안면에 완연한 것을 보고 나이든 처지에 또 주책없는 짓을 했구나 하고 후회한 적이 있었다. 이들은 조금은 낮은 키에 다른 사람보다 체구의 폭이 넓어 부티가 나고 얼굴 표면적이 다소 큰 점에서 공통점을 갖고 있고 다만 아쉬움이 있다면 나사羅紗가 먹지 않았다는 점일 것이다.

    그러나 실제 난의 짜보에 대한 인기는 절정에 달한 것 같다. 난의 유연한 곡선미를 높이 기리어 이를 애배하여 오던 고전적

인 난 풍속도에서 완전 일탈하여 곡선미라고는 입 떼기조차 거
북하고 잎에는 윤기라고는 약에 쓰려 해도 찾아볼 수 없어 강
원도 산판 길의 비포장도로처럼 울퉁불퉁하게 되어먹은 것을
'나사'라는 듣기 좋은 말로 미화하고 있으니 세상 바뀌어도 한
참 변한 것에 틀림없으리라. 축소지향의 일본인들의 입맛에 맞
아 마련된 난 문화를 여과 없이 그대로 도입하여 좋아라고 들
떠대는 모습들이 한심하다고 제법 비판적인 자세를 견지하던
나도 역시 속물에 불과하며 흉보던 며느리 시어미 닮아간다는
말이 있듯이 별수 없이 그러한 물결에 휩쓸리고 말았다.

 가까운 난우들이 모두들 '짜보' 소위 단엽종을 소장하고 있
는데 나 혼자 이를 갖지 못하고 있던 터에 90년의 어느 가을날
K형으로부터 한 촉을 아주 싼값(시세에 비하여)에 입수하게
되었다. 잎은 넓고 짤막한 데다가 잎 끝은 십 원짜리 동전처럼
동그스름하고 뿌리는 TV 만화영화에 나오던 '아톰'의 다리처럼
짧고 뭉뚝했다. 그리고 짜보의 특징이라 할 수 있는 나사가 잎
전체를 덮고 있었으니 이를테면 신언서판身言書判을 구비한 알짜
'짜보'라고 할 수 있었다.

 더욱 다음해 새 촉이 올라올 때 살펴보니 완전한 서반曙班을
띠고 있고 날짜가 지나게 됨에 따라 서서히 소멸되어 가는 것이
었다. 이것이야말로 전형적인 '짜보'로서 국보급이라고 스스로

자찬하며 애지중지 돌보아왔음은 이를 바가 없었다. 그러나 뿌리가 성냥꼬치의 반 정도의 길이밖에 되지 않으므로 분에 옮기는 일이 결코 쉬운 작업이 아니었다. 다른 난분보다 화장토를 많이 넣어 심는다기보다는 뿌리를 덮는 정도로 하고 그 위에 수태를 엷게 얹어 놓은 것이다. 물을 줄 때도 조심하지 않으면 난의 뿌리가 짧아서 기우뚱하여지거나 뿌리가 분토 위로 드러나 버릴 수 있기 때문에 별다른 신경을 써야 했다.

그러나 그 해 여름 소주 한 잔 걸치고 귀가한 어느 날 밤, 며칠 동안 물주기를 늦추었기에 오늘은 꼭 급수를 하여야겠다고 마음먹었던 나는 취중이지만 야간급수를 하였다. 급수 적기가 며칠 지났으니 그날 밤이 아니면 다음날 혹서에 난이 너무 상할 듯하여 취중에도 용단을 내린 것이었다. 그러나 사백 분이나 되는 많은 수의 난분에 물뿌리개를 사용하여 하나하나 관수하기에는 시간도 너무 걸릴 뿐더러 만취가 된 신체적 조건이 용납하지 않았다. 그래서 수도의 급수전에 호스를 연결하여 간단히 처리하는 관수 방법을 택할 수밖에 없었다. 그날 이후 바쁜 일과의 계속으로 아침 일찍 출근하여 밤늦게 귀가하느라 며칠이나 난을 돌보지 못하다가 3일 후 물 주기 위해 난실을 찾게 되었고 사랑하는 애장란들을 살펴보는 순간, 아— 어찌 된 일일까. 그 '짜보'를 심었던 난분이 라벨만 꽂힌 채 빈 분으로 남아있는 것이 아닌가. 며칠 전 밤 취중에 급수를 할 때 수압이 강하여 뿌리 채 뽑혀 날아가 버린 것이라는 직감적 판단이 나왔다. 참으로 통탄할 일이었다. 주위를 한참 동안 찾아본 결과 그 짜보는 50센티 정도 떨어져 있는 중국 춘란 월패소月佩素의 난 잎에 대추나무에 연 걸리듯이 매어달려 있는 것이었다. 발브도 없고 뿌리라고는 형체만 생긴 몸으로 아무리 차광을 하였더라도 한여름 햇볕에 사흘을 보냈으니 그 결과는 명약관화한 일이었다.

김영랑의 떨어진 모란꽃은 다음해 오월을 다시 기다릴 수 있고 조침문弔針文의 작자 미망인이 부러뜨린 바늘은 다시 구하면 되는 것이지만 절대로 되돌릴 수 없는 이 불행을 무엇에 비유할 수 있으랴.

술이 원수인지라 보기 힘든 명품을 영원히 이 땅에서 사라지게 하였으니 두고두고 속죄해야 할 것이리라. 오호통재嗚呼痛哉 슬프다 '짜보'여―.

(93. 봄)

'연잎 요강꽃' 이야기

　우리나라의 야생란에 대한 관심들이 80년대 초반보다 훨씬 열이 식어진 느낌이다. 그때만 해도 우리 아란회에서 야생란에 대한 개발욕이 대단하였으니 배종권, 김익태, 김재도, 김웅진 회원과 필자가 주동이 되어 기회 있을 때마다 야생란을 찾아 주로 경기도 일대의 산을 누비고 다녔었다. 특히 배종권 회원은 열의에 있어 단연 두각을 나타내어 다른 회원들의 추종을 불허하였는데, 사철란 수집을 위해 비행기를 타고 제주행을 다반사로 하였다. 그 결과 그는 한라산에서 식물도감에도 등재되지 않은 새로운 사철란 속屬을 발견하여 난계에 소개하기도 하였고, 풍란과 새우란의 진귀품을 수집하기 위하여 남서해의 도서 지방을 수시로 주유하곤 했었다.

우리 일행들은 경기도 운천 지방의 바위산에서 애기사철란을 찾기 위하여 독사가 많기로 이름난 험한 계곡을 샅샅이 뒤져 기어코 군락 자생지를 발견하기도 하였고, 나비 난초를 찾기 위하여 자일을 타고 암벽을 올라가 살피는 모험까지도 사양치 않았었다.

그때 우리 아란회 야생란 탐사 팀은 우리나라(남한)에서 그때까지 찾지 못하였다고 식물서적에 기록되어 있는 해오라비 난초, 나비 난초와 경기도 광능에서 자생하고 있었으나 꽃이 워낙 좋아 주민들이 남채濫採함으로서 이제는 멸절되어 없어졌다고 기록되어 있는 연잎 요강꽃을 찾는 일을 지상의 목표로 설정하여 놓고 심혈을 기울였던 것이다.

그러나 우리 일행 전부를 합쳐도 배종권 회원의 열정에는 따르지 못하였으니, 결국 해오라비 난초, 나비 난초, 연잎 요강꽃의 발견도 그의 단독 탐사에서 성공하였다. 우리나라 야생란 개발에 쏟은 그의 노력은 길이 기억되어져야 할 것으로 여겨진다. 그는 강원도 원통에서 해오라비 난초를 찾아낸 데 이어 나비 난초도 발견하였으나, 그에게도 연잎 요강꽃(일명 광능 요강꽃)만은 발견이 쉽지 않았다. 그는 더위를 피하여 주로 이른 식전에 산에 올라 탐사한 후 오전 중에 하산하는 방법으로 광능을 중심으로 양주군 일대를 돌아다녔다. 어느 날에는 아침에 등산복 바지가 이슬과 산 흙으로 뒤범벅이 되어 하산하는 그의 꼴을 수상하게 본 어느 주민이 간첩신고를 하여 팔자에도 없는 경찰의 조사까지 받은 일이 있었다고 한다.

어느 날 배종권 회원이 나에게 하소연해 왔다. 광능 근처의 산은 어느 한 곳도 자기의 발길이 닿지 않은 곳이 없으나 대망의 연잎 요강꽃을 발견할 수 없으니 마지막으로 산림청의 임업시험장 보호림 안을 살펴야 하겠는데 출입금지 구역인지라 무슨 좋은 묘책이 없겠는가 하는 것이었다. 나는 모처에 부탁하여 임업시험장에 청탁 전화를 걸도록 하였다. 전화 내용은 모 대학 식물학 교수 네 사람이 출입금지 구역 안의 생태계를 살피기 위하여 모일 모시에 방문할 테니 편의를 제공해주라는 것이었다. 그런 후 우리 일행은 그 날 그 시간에 그곳에 갔더니 일요일임에도 중간 간부가 우리를 위하여 대기하고 있었고 우리를 금지구역 입구까지 친절히 안내하여 주었다. 그 후 생각하여도 개인적인 목적을 위하여 국가기관을 기만한 죄가 큰 것 같으나 이미 공소시효가 지난 일이라 여기 털어놓음과 동시에 관계인에게 우리들의 잘못을 진심으로 사과드린다. 그러나 그날 금지구역 안에서도 키다리 난초를 발견하는 것으로 만족해야 하였으며, 연잎 요강꽃을 발견하는 데는 실패하고 말았었다.

   그 후로도 배종권 회원은 혼자서 광능 근처의 산을 계속 누볐고, 50여 회의 끈질긴 탐사 끝에 마침내 1983년 6월 어느 날 아침 해가 솟아오르는 이른 시간 경기도 모 지점에서 삼백여 촉의 연잎 요강꽃이 군생하는 장관을 발견하였다. 그는 몇 촉을 채취하여 야생란과 더불어 생을 살아오신 난계의 대선배 이작 선생님(난과 생활사 제3회 난인대상 수상자)께 한 촉을 진상(?)하여 원로 난인의 눈시울을 붉게 만들었으며 나도 한 촉을 얻는 영광을 입었다.

   그 후 자생지를 알려달라는 나의 집요한 윽박지름에 견디지 못한 그는 영원히 비밀을 지킨다는 굳은 약속을 받아 낸 후에 나를 그곳으로 안내하였으니 그래서 나는 연잎 요강꽃의 자생지를 구경하는 두 번째 사람의 위치를 얻게 되었다.

   동남향의 산 계곡, 해발 400미터 정도의 위치, 30년생 정도

의 참나무가 서식하는 곳에 두텁게 쌓인 부엽을 뚫고 연잎 요
강꽃이 만세를 부르듯 두 잎을 펼치고 솟아올라 있었다. 이
자생지 환경을 풀어서 말한다면, 양지바른 곳, 시원한 산바람
이 늘 불어오는 위치, 여름에는 굴밤나무의 무성한 잎이 햇볕
을 가려주고 늦가을부터 겨울을 거쳐 이른 봄까지는 충분한
일광에 노출되는 길지吉地에 군자다운 풍모로 자리하고 있는
것이다.

이렇게 하여 우리나라에서는 씨가 끊어졌다고 알려졌던 연
잎 요강꽃이 우리 아란회의 줄기찬 노력, 특히 배종권 회원의
피눈물 나는 각고의 고행에 의하여 다시 모습을 찾게 되었으니
이것 또한 우리 아란회의 저력이라 자부해 보고 싶다.

(93. 봄)

풍란유감

무원蕪園 김기호金琪鎬는 풍란風蘭을 시조時調의 틀에 담아,

"흙 내음 가시어진 절처絶處에 도사리고
 두어 치 매운 몸매 망울진 사랑이여
 비수匕首 날 푸른 서슬은 안을 향向한 다스림"이라고 읊었다.

풍란을 나타냄에 있어 이에 더할 명구名句가 있을 것 같지 않
다. 풍란을 감상하면서 이 시조를 음영吟詠하면 그 정취情趣는
한결 고조高調된다.

빳빳한 진초록의 야무진 매무새에 영롱한 뿌리를 뻗어 자라
는 모습과 은색 향기 짙은 꽃은 난인蘭人들을 매료魅了시키기에

충분함이 있다.

　서남해西南海의 크고 작은 섬에 자생하는 풍란들이 난蘭 붐 boom을 맞아 크나큰 수난을 입고 있다. 몰지각한 부류들이 무분별한 남채濫採를 자행함으로써 이제는 현지에서도 찾아보기 어렵고 이렇게 가다간 멸절滅絶의 위기를 맞지 않나 걱정이 앞선다.

　난 가게는 물론 동대문東大門의 노변路邊에까지 뿌리가 건조되어 고사枯死 직전의 풍란이 나도는 것을 보면 안타까운 생각이 들곤 한다.

　나는 이 풍란風蘭을 기르는 데에 문제점問題點이 많은 자격資格 없는 난인蘭人으로 자처하기에 이르렀다. 난을 처음 시작할 당시 가까운 난우蘭友들의 영향을 받아 수삼 차에 걸쳐 귀중貴重한 풍란을 입수하여 서책과 선배들의 가르침에 따라 정성을 쏟아보았으나 번번이 실패를 하고 말았다. 겨울철에는 테라리엄terrarium에 넣기도 하고 다른 철에는 분무기로 습기를 유지시킴은 물론 통풍通風을 조장助長하는 데 심혈을 기울였지만 무엇이 부족한지 그러한 노력도 허사에 불과했다. 많은 생명을 끊어 놓은 큰 죄를 범하였으니 깊이 반성해야 할 일이며 함부로 산채山採를 하는 무리들보다 더욱 큰 과오를 범한 것이 되고 말았다.

비싼 값으로 사서 기르는 사람이 있기에 남채하는 사람들이 생기는 것은 당연한 이치이고 좋아서 기르려면 귀중한 것을 잘 살려 번식시킬 수 있을 때 자생란自生蘭을 가두어 기르는 명분名分이 설 것이다.

　이제부터 풍란에는 다시 손을 대지 않기로 마음을 굳게 먹었다. 난실蘭室의 구색具色을 위하여 지금 기르고 있는 스무 남짓 촉도 일본산 풍란들이다. 설령 또 실패하는 일이 있어도 남의 것이기에 가슴 아픔이 덜할 것 같아서이다.

(96. 11.)

솔잎 식재 파동

난 기르기 초심자初心者일수록 남의 이야기에 솔깃해지기 마련이다. 자신自信있는 스스로의 묘방妙方이 정립定立되지 않아 선험자先驗者의 얘기를 비판批判 없이 받아들이게 됨은 어쩔 수 없는 일이다.

"○○난석蘭石에 심었더니 춘란春蘭 뿌리가 가락국수처럼 뻗었더라"라는 말을 들으면 분갈이 한 지 일천日淺하였더라도 당장 그 난석으로 갈아 심고자 하는 충동衝動을 느껴 결국은 그에 따라가게 된다.

하나의 재배법은 수년 간 반복 시험하여 틀림없는 결과가 도출되었을 때에 남에게 소개紹介도 하고 자랑도 할 일이라 생각한다. 막연한 이야기나 미처 확실한 시험 결과가 밝혀지지 않은 상태에서 남에게 떠벌린다는 것은 결과가 나쁘게 될 때 같이 망하자는 뜻 밖에 될 수 없다. 재작년再昨年 어디에서 퍼져나온 것인지 진원震源을 알 수 없는 '솔잎 식재 유용론(?)'이 나돌았다. 완전히 부식腐蝕된 솔잎으로 난을 심으면 뿌리의 자람새가 월등越等하다는 것이다. 남의 이야기에 민감한 필자筆者도 몇몇 난우蘭友들과 더불어 대여섯 분盆을 시험 재배하기에 이르렀던 것은 물론이다. 결과結果는 실패失敗였다. 월동越冬하는 동안 십여 일 간격으로 급수給水를 하였던 바, 분의 윗부분은 즉시 말라버리나 분의 밑부분은 물기를 오랫동안 지니고 있어 습해濕害를 겸한 동해凍害를 입고 말았다.

봄을 맞이하여 분을 쏟아 보니 대부분의 뿌리가 물컹물컹한 상태로 변하여 버렸다. 뒤늦게 후회한들 돌이킬 수 없는 노릇이었다.

내가 왜 이리도 못났을까? 난蘭을 돌에 심는다는 것은 수백 년을 전래傳來해온 고유固有의 방법이라는 평범한 상식을 일탈逸脫하여 서투른 외도外道를 시도試圖했으니 말이다.

손상損傷된 뿌리를 잘라내고 소독을 하여 다시 심은 그 난들이 아직까지도 제 정신을 못 차리고 있으니 완전完全한 회춘回春에는 또 몇 년이 더 걸려야 할지 모를 일이다.

(96. 11.)

육란한담

○ 보리 풍년

심장의 고동이 멎는 듯한 순간이었다. 지척에 떨어져 있는 아내를 부를 힘도 없이 넋을 잃고 있었다. 금년 3월 31일 하오 4시경 아란회我蘭會의 난자생지蘭自生地 답사踏査 때에 일어났던 일이다.

하루 종일 부부가 온 산을 헤매었으나 허탕을 치고 이제 고단한 다리를 끌고 대기해 놓은 전세버스를 향하여 하산下山하고 있는 중이었다. 그래도 못내 아쉬움이 남아 산과 부락이 맞닿은 근처에서 마지막 5분을 발버둥치는 찰나였다.

소나무와 잡목들이 혼생하는 아래에 잎에 이상한 무늬가 든

춘란을 발견한 것이었다. 가까이 다가가 살펴보니 깨알 무늬(사피蛇皮)면서도 잎은 반수엽半垂葉이며 후지엽厚地葉이었다. 세 촉 중 한 촉은 회원 한 분에게 떼어주고 두 촉을 기르는데 금년 초하初夏에 두 개의 새 촉이 돋아났다.

구촉보다 한결 무늬가 선명하여 마치 일본춘란 세계지도世界之圖에 필적할 만하다. 오랜 신고辛苦 끝에 손에 넣은 물건이기에 보릿고개 끝에 닥쳐온 보리 풍년처럼 기쁨을 안겨주었고, 또한 무늬가 보리알처럼 영글게 보인다고 하여 '맥풍麥豊'이라 이름 지었다.

많은 난분 중에 맥풍에 쏟는 정이 유별남은 넓은 운동장에서 뛰노는 여러 어린이들 속에서 자기 자식을 대하는 마음과 흡사한 것이라 생각해본다.

○ 비닐 버선

채란採蘭을 위한 산행山行은 그 목적이 운동을 위한 것이 거의 전부이다. 매 주말을 거의 거르지 않고 몇 달을 자생지自生地를 찾아 헤매도 신통한 명품 한 촉을 얻지 못하는 것이 대부분의 난우蘭友들이 겪는 공통된 경험이리라.

임해臨海의 송림松林 속을 하루 종일 거닐고 나면 그 많은 운동량과 맑디맑은 공기는 우리들의 심신에 한없는 활력소를 불어 넣곤 하는 것이다.

어느 겨울 눈 쌓인 산곡을 헤매자니 방수 처리된 등산화지만 눈 녹은 물이 신 틈으로 스며들어 옴은 어쩔 수 없는 노릇이었다. 그래서 내가 기발한(?) 아이디어를 창출한 것이 비닐 버선이다.

등산 양말 위에 비닐 주머니를 버선 삼아 신고 등산화를 신으면 비록 물이 새어 들어와도 발에 닿지 않아 냉기冷氣를 면할 수 있는 것이다.

뭇사람들로부터 콜럼버스의 달걀처럼 조소의 대상이 되는 이야기인지는 몰라도 이것은 겨울철 채란 산행 때 여러 사람들에게 곧잘 애용되어왔다. 아란회에 입회한 지 3년이지만 회에 기여한 공이란 아무리 생각해 보아도 이 비닐 버선 밖에 없는 것 같다.

○ 주당파酒黨派

난蘭을 사랑하는 것과 술을 즐기는 것은 어느 면에서 맥을 같이 하는 점이 있다고 생각된다. 그러나 이상하게도 우리 아란회我蘭會 회원들의 대부분이 술을 못하는 분들이다. 내가 아란회에 처음 입회했을 때 월례月例 모임의 식사 시 혼자 소주 반주를 청하였다가 대부분의 회원들로부터 애교 섞인 구박(?)을 받은 일이 새삼스럽게 생각난다.

이제 회원 수가 늘어나서 우리 회에도 술을 할 수 있는 분들이 사오 명으로 늘어났다. 그래서 우리 회에서는 우리들을 주당파酒黨派라 하여 희귀 인간(?)으로 취급하고 있다. 몇 잔의 소주와 등심구이를 곁들이며 난蘭에 대한 얘기로 꽃을 피울 때 골치 아팠던 하루의 시름이 말끔히 가시곤 하는 묘미妙味를 왜 모르는지 이해할 수 없다.

곁들인 글

공친당 영주 나들이

오도열(아란회 이사)

"꼬끼오~, 꼬끼오~!"

꿈인 듯, 생시인 듯, 들리는 닭 홰치는 소리에 잠에서 깨어, 창문을 열어 보니 봄비가 촉촉이 내리는 가운데 작은 도시의 아침이 조용히 열리고 있다.

30여 년의 공직을 명예 퇴임하고 영주에서 세무사업稅務事業을 시작한 공친당 총재인 아란회 이규직 고문의 사무실 방문차 어제(1995. 5. 17.) 오후에 공친당원 네 명이, 일일 명예당원 자격으로 동행해 준 아란회 이병우 회장과 기차 편으로 영주에 왔었다.

역까지 마중을 나온 이 고문의 계획대로 저녁식사 후, 음주가무飲酒歌舞를 할 수 있도록 객실이 준비되어 있는 주점에서 밤

늦도록 마시며 놀다가, 예약된 여관에서 곯아 떨어졌던 것이다.

아침은 복 찌게로 거북한 속을 달래고, 어제 도착하자마자 이 고문께서 배부한 "공친당 영주 나들이 얽이표"의 일정에 맞추어 총재 사무실을 방문했다.

미리 준비된 간략한 경영 실적표에 의해 사무실 경영 실태를 들으니, 소득 면에서는 오히려 현직에 있을 때보다 훨씬 낫고, 직원도 10명이나 되는 규모로서 전국 동종업자同種業者의 순위에서도 상위에 속하는 정도가 된다 하니 모두들 뿌듯해하는 표정이다.

미리 임차한 승합차로 1차 관광 목적지인 부석사로 향하니 제법 굵은 빗방울이 차창을 때리기 시작하고, "수캐 뭣 자랑한다더니…"라는 이 고문의 놀림에도 아랑곳없이 알통 자랑을 해 대는 이 회장의 우스갯소리에 웃고 즐기다 보니 어느새 목적지에 도착했다.

궂은 날씨 탓인지 한산한 절의 입구에 들어서니 일주문一柱門 상단에 "해동화엄종찰海東華嚴宗刹"이라는 현판이 붙어 있어, 이 절의 크기를 가히 짐작케 한다.

신라 때 의상대사가 나라의 중흥을 위하여 왕명에 의해 화엄종의 수사찰首寺刹로 지었으며 가람의 배치도 '화華'자 형태로 하였다고 한다.

양쪽에 사과밭이 늘어 서 있고 약간의 마사만이 깔린 촉감 좋은 황톳길을 따라 1km 정도 올라가자니 천왕문과 범종각이 차례로 있고, 범종각을 지나니 불가佛家에서 극락이라는 뜻으로 달리 불리는 '안양安養'이라는 이름의 누각이 나타난다. 결국 이 안양루安養樓의 통로는 속세에서 극락으로 드는 문인 셈이다.

좁은 통로를 통해 계단을 오르니 너른 마당 뒤로 '무량수전無量壽殿'이라고 쓴 고려 공민왕의 친필인 정방형 현판을 단 우리나라 최고의 목조건물이 고색창연한 모습을 드러낸다.

본전本殿 앞에 올라서서 뒤를 돌아보니 과연 "자연이 가져다 준 극락"인 양, 평화로운 풍경이 펼쳐져 있다.

태백산과 소백산의 사이, 봉황산鳳凰山 자락, 높은 곳에 위치한 이곳은 우리나라에서 빼놓을 수 없는 명당이라는 이 고문의 설명도 설명이려니와, 올망졸망하게 낮게 엎드린 야산들 사이로 한적하게 자리 잡은 농촌의 전경은 가히 극락의 평화를 표현해 놓았다 할 만하다.

본전本殿은 단청을 칠하지 않아 오히려 고풍스러움을 더 해주고, 팔작지붕의 네 귀를 받치고 있는 배가 볼록한 배흘림기둥은 역학적으로나 미학적으로나 우리 선인先人들의 빼어난 지혜를 엿볼 수 있게 한다.

본전 안에는 특이하게도 불상이 옆을 향해 앉아 있는데, 이 아미타여래불은 극락(서방정토)을 다스리는 불佛로서, 극락을 다스린다는 뜻으로 서쪽(서방정토)에서 동쪽을 향해 앉아 있다는 전광환 씨의 유식한 설명이 뒤따른다.

본전의 왼편에는 절 역사의 증거인 양, 이 절 이름의 유래가 되는 부석浮石이 자리 잡고 있다. 처마 끝에서 떨어지는 빗줄기를 바라보자니, 문득 안양루 지붕 위에 핀 민들레 한 송이가 보인다.

지난해 어미의 몸속에서 떨어져 나와,
고작 꽃씨만 한 행복을 꿈꾸며 바람에 날리다,
뿌리 내린 삶의 터는
하늘도 땅도 아닌 검은 기왓장 밑.

한여름 검은 기와 위를 작열하는 태양의 열기도,
겨우내 산사山寺를 얼어 붙인 강철 같은 추위도 모두 견디고,
의연히 피워 준 꽃 한 송이는 겸손히 입을 다문 채,
달디단 빗방울을 뿌려 주는 하늘에 오히려 감사라도 하는
듯 파르르 몸을 떤다.

주차장으로 돌아와, 다음 목적지로 가는 길에 오전약수터에 들러 탄산 성분으로 톡 쏘는 맛의 약수를 한 잔씩 하고, 다시 차를 달려 도착한 곳은 소수서원紹修書院이다.

우리나라 최초의 사립고등교육기관私立高等敎育機關인 소수서원은 소백산 남쪽에 위치하여 소백산의 전경이 한눈에 들어오고, 서원의 한쪽으로는 맑은 시내가 흘러 풍경이 수려한 곳에 위치하고 있다.

이곳은 회헌晦軒 안향安珦 선생의 위패位牌를 봉안한 곳으로, 시냇물 건너편의 산에 있는 소나무들이 안향 선생의 위패를 모신 곳을 향해 고개를 숙였다고 하는데, 그 산 쪽을 바라보니 과연 키가 껑충하게 잘 생긴 소나무들이 서원 쪽을 향해 구부리고 서 있는 듯한 모습이 눈에 들어온다.

다음 목적지로 이동하는 동안 차창을 내다보니 봄비치고는 적지 않은 비가 주룩주룩 오고, 촉촉하게 젖은 소백산 자락의 시골 풍경은 노스탈쟈를 느끼게 한다.

사과와 더불어 풍기의 명물인 인삼 시장에 들러 견학 후, 이 고문은 이번 방문 기념이라고 인삼을 한 보따리씩 안겨주는 자상함을 잊지 않는다.

다시 차는 시내를 벗어나, 가파른 구비고개를 승합차의 숨이 목에 차게 오르니 희방사 입구인데, 희방사는 신라의 승려 두

운杜雲이 창건한 곳으로 『월인석보月印釋譜』 판본이 보관되어 있던 유서 깊은 사찰이다.

깊은 골짜기라서 비구름의 흐름이 매우 심한 중에 미끄러운 바위를 조심히 디뎌가며 계곡 위로 올라가니, 조선조 유학자 서거정徐居正 선생이 "천혜몽유처天惠夢遊處"라 일컫었다는 희방폭포가 웅장한 자태를 드러낸다.

물보라를 뿌리며 시원하게 쏟아지는 폭포를 배경으로 후일의 기록 보존을 위하여 모두 모여 사진 한 방 박고…

예약된 열차 시간이 불과 3시간 남짓 남았는데, 자주 시계들을 들여다보는 폼이 흘러가는 시간을 몹시 아쉬워하는 모습들이다.

계곡 옆의 술집에 들어, 처마에서 떨어지는 빗물을 더러는 옹색하게 피하기도 하고, 더러는 한쪽 어깨에 맞아가며, 비록 기름진 안주에 세 차례 빚은 술은 아닐지라도 빗물 섞인 술 한 잔씩을 나누어 마시니 옷이야 젖거나 말거나 세상의 모든 시름이 잊혀지누나.

비워지는 소주병의 수가 늘어갈수록 언어 표현이 더욱 자유분방하여지고, 육두문자肉頭文字의 난무도 오히려 정겹구나.

쓰러져 있는 고목을 가리키며 두꺼비가 한쪽 다리를 들고 오줌 싸는 형상이라느니, 계곡 건너편의 바위 절벽을 보고 한쪽 뚝 떼어 풍란을 붙였으면 좋겠다느니, '부석'사를 '석부'사로 표현하는 등, 종횡무진縱橫無盡하는 이병우 회장의 우스갯소리는 작품 활동(풍란 石, 木부작)을 심하게 하다 보니 도道의 경지에 도달한 것이나 아닌지….

곡목 선택을 잘한 덕에 박수를 받은 이 고문의 '성불사의 깊은 밤'에 이어, 우리의 '카수' 박종환 씨의 '그리운 금강산'을 어렵사리 청해 들으니 예가 바로 금강산의 한 자락인 듯하다.

산중山中 나그네들의 취흥을 돋우어 주려는 듯, 고목 위를 부산하게 오르내리는 다람쥐와 청설모의 몸짓이 한결 친밀하게 느껴진다. '아침이슬' 합창을 끝으로 술자리를 파한 후, 왔던 길을 되돌아오려니 비는 어느새 개어 골짜기가 한결 선명해 보이고, 죽령 밑으로 이어지는 길고 긴 계곡으로 흐르는 운무雲霧의 아름다운 선경仙境은 신선들이 노닐던 곳인 듯한데, 오래 두고 볼 수 없는 경치이기에 오히려 아쉬움이 인다.

칠, 팔 년 간을 채란採蘭 철이면 거의 매주일 산에서 함께 보내왔고, 비철이라고 해도 서울에서 한, 두 달에 한 번은 얼굴을 대하건만 풍기역에서의 이별은 아쉽기만 하다.

개찰하고 플랫폼으로 향하는 우리들의 등에 대고 주먹을 빼보이며 감자 먹이는 시늉으로 작별인사를 대신하는 이 고문의 익살스런 모습은 오히려 썰렁한 기분이 들게 한다.

기차는 죽령의 오르막을 숨차게 오르고, 아쉬움을 묻어버리려는 듯, 어느새 구했는지 정익선 부회장이 챙겨 온 안동소주安東燒酒를 독하게들 마셔대는데, 골골을 꿈결같이 운무가 감아 흐르는 소백산의 아름다운 모습은 차창의 뒤로 자꾸만 밀려간다.

이제, 이틀간의 즐거웠던 일들은 소중한 기억이 되어, 마치 송매宋梅의 청아한 향기 같은 훗날 이야깃거리가 되겠지!

(1995. 10. 17)

풋
굿